2α

βιβλίο ασκήσεων

Κλεάνθης Αρβανιτάκης   Φρόσω Αρβανιτάκη

επικοινωνήστε ελληνικά

Μαθήματα 1-12

THE GREEK EXPERIENCE
Books, Music, Video, Art
www.GreeceInPrint.com
262 Rivervale Rd, River Vale, N.J. 07675
Tel 201-664-3494 Email info@GreeceInPrint.com

εκδόσεις δέλτος

Τίτλος: Επικοινωνήστε Ελληνικά - Βιβλίο Ασκήσεων 2α
Συγγραφείς: Κλεάνθης Αρβανιτάκης, Φρόσω Αρβανιτάκη
© Copyright Ε. Αρβανιτάκη και Σία Ο.Ε.
Νέα Έκδοση - Σεπτέμβριος 2003
12η Ανατύπωση - Σεπτέμβριος 2016
ISBN 978-960-7914-23-1

Επιμέλεια έκδοσης: Κλεάνθης Αρβανιτάκης
Διορθώσεις: Λυδία Γαλίτη
Εξώφυλλο: Άννα Νότη
Σελιδοποίηση: Ελένη Σγόντζου

Εκδόσεις Δέλτος
Πλαστήρα 69, 17121 Νέα Σμύρνη, Ελλάς
tel: +30210-9322393   fax: +30210-9337082
www.deltos.gr   e-mail: info@deltos.gr
Deltos Publishing
69 Plastira St., 17121 Nea Smyrni, Athens, Greece

Απαγορεύεται η αναδημοσίευση ή αναπαραγωγή του έργου αυτού στο σύνολό του ή σε τμήματα, τόσο στο πρωτότυπο, όσο και σε μετάφραση ή διασκευή, χωρίς γραπτή άδεια του εκδότη, σύμφωνα με τις διατάξεις του ν. 2121/1993 και της Διεθνούς Σύμβασης Βέρνης-Παρισιού, η οποία κυρώθηκε με τον ν.100/1975.

Επίσης απαγορεύεται η αναπαραγωγή χωρίς γραπτή άδεια του εκδότη της φωτοστοιχειοθεσίας, της σελιδοποίησης, του εξωφύλλου και γενικά της αισθητικής εμφάνισης του βιβλίου με οποιαδήποτε τεχνική μέθοδο ή μέσο, σύμφωνα με το άρθρο 51 του ν. 2121/1993.

1 Κοιτάξτε το οικογενειακό δέντρο και γράψτε προτάσεις.

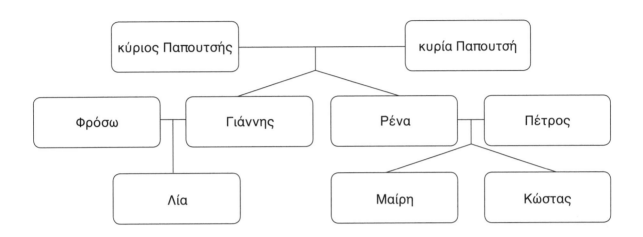

1. Ο κύριος Παπουτσής *είναι ο άντρας της κυρίας Παπουτσή, ο πατέρας του*

Γιάννη και της Ρένας, και ο παππούς της Λίας, της Μαίρης, και του Κώστα.

2. Η Ρένα _____

_____

3. Ο Γιάννης _____

_____

4. Η Μαίρη _____

_____

5. Η κυρία Παπουτσή _____

_____

2 Γράψτε μικρούς διαλόγους χρησιμοποιώντας τις λέξεις-κλειδιά.

1. αυτά / κλειδιά; // (Μαρία)

A: *Τίνος είναι αυτά τα κλειδιά;*

B: *Είναι της Μαρίας.*

2. αυτός / καφές; // (Δημήτρης)

A: _____

B: _____

3. αυτές / μπότες; // (κυρία Χατζάκη)

A: _____

B: _____

4. αυτοί / χαρτοφύλακες; // (κύριος Καζάκος)

A: _____

B: _____

5. αυτή / μπίρα; // (Μάρω)

A: _____

B: _____

6. αυτό / βιβλίο; // (παιδί)

A: _____

B: _____

3 Διαλέξτε το σωστό.

1. Αυτά τα λουλούδια είναι από *ο Παύλος* / *του Παύλου* / *τον Παύλο*.

2. Απόψε θα έρθει *η Σοφία* / *της Σοφίας* / *τη Σοφία*.

3. Μήπως ξέρεις πού βρίσκεται το διαμέρισμα *ο Σωκράτης* / *του Σωκράτη* / *τον Σωκράτη*;

4. Το Παγκράτι είναι μια συνοικία *η Αθήνα* / *της Αθήνας* / *την Αθήνα*.

5. *Ο άντρας μου* / *του άντρα μου* / *τον άντρα μου* δεν πίνει ποτέ μπίρα.

6. Το άλλο βιβλίο είναι για *η καθηγήτρια* / *της καθηγήτριας* / *την καθηγήτρια*.

7. Προχθές στο μπαρ συναντήσαμε *ο διευθυντής* / *του διευθυντή* / *τον διευθυντή μου*.

8. Εκείνο το Φίατ είναι *ο Ηλίας* / *του Ηλία* / *τον Ηλία*.

9. Ποιος θα πάει με *η Φωτεινή* / *της Φωτεινής* / *τη Φωτεινή* στο σουπερμάρκετ;

10. Είναι αρκετά ακριβή *η βιβλιοθήκη* / *της βιβλιοθήκης* / *τη βιβλιοθήκη*;

βέβαιος — I am sure

4 **Γράψτε το σωστό.**

1. «Αυτό το βιβλίο είναι __*δικό*__ μου.» «Α, ναι; Ορίστε.»

2. «Τίνος είναι αυτές οι δύο μπανάνες;» «Είναι __δικές__ μου.»

3. «Εκείνη η πολυκατοικία είναι __δική__ της.» «Σοβαρά;»

4. «Είμαι βέβαιος ότι το λάθος δεν είναι __δικό__ του.» «Ποιανού είναι, τότε;»

5. «__δικός__ τους είναι ο πελάτης ή __δικός__ μας;» «Δεν ξέρω, αλλά θα μάθω.»

6. «Αυτοί οι υπάλληλοι δεν είναι __δικοί__ σας;» «Ήταν. Τώρα δεν είναι.»

7. «Ποιανού ήταν τα γραμματόσημα;» «__δικά__ τους.»

8. «Η πίτσα είναι __δική__ μας;» «Νομίζω, ναι.»

5 **Βρείτε τα λάθη και ξαναγράψτε τις προτάσεις σωστά.** *find mistake*

1. Αυτοί οι δύο αναπτήρες είναι δικές μου.

   Αυτοί οι δύο αναπτήρες είναι δικοί μου.

2. Το πρόβλημα είναι δική σου και όχι δική μου.

   δικό

3. Δικό σας είναι τα παπούτσια;

   Δικά

4. Άσε την εφημερίδα στο τραπέζι, σε παρακαλώ. Είναι δικές μου.

   δική

5. Τελικά, δεν ήταν δική της το παιδί;

   δικό

6. Όταν έγινε γυναίκα μου, πήρε τη δική μου όνομα.

   το δικό

5

6 **Απαντήστε στις ερωτήσεις με ολόκληρες προτάσεις.**

1. Ποιανού είναι το σπίτι όπου μένετε;

Το σπίτι όπου μένω είναι του κυρίου Keane, του ~~σπιτονοικοκύρη~~ *μου*

2. Αυτό το βιβλίο ασκήσεων είναι δικό σας;

Όχι αυτό το βιβλίο ασκήσεων είναι δικό ~~μας~~ του

3. Ποιανού είναι τα ρούχα που φοράς;

Τα ρούχα που φορώ είναι δικά της αδελφής μου

4. Τίνος πολύ γνωστού έλληνα ποιητή το μικρό όνομα είναι Οδυσσέας;

Το μικρό όνομα Οδυσσέας είναι ~~δικού~~ του Ελύτη

5. Είστε σίγουρος/η ότι όλα τα CD που είναι στο σπίτι σας είναι δικά σας; Πόσα ίσως δεν είναι;

Δεν είμαι σίγουρος ίσως ~~τρία~~ αυτά τρία είναι του αδελφού / μήπως / δικά μου

7 **Βάλτε τη σωστή λέξη στον σωστό τύπο.**

το κλειδί - το άρωμα - ο παππούς - ποιανής - ο ανιψιός - το συρτάρι - ο θείος - ~~η οικογένεια~~ - δικός - οι μπότες

1. Ο Αντώνης και η Άννα είναι ___*ανίψια*___ μου. Είναι παιδιά του αδελφού μου.

2. Αυτός μένει στην Ελλάδα, αλλά η ___*οικογένεια*___ του μένει ακόμα στη Νότια Αφρική.

3. Ψάχνω μια ώρα να βρω τα ___*κλειδιά*___ του σπιτιού.

4. Το γραφείο που αγόρασα δεν έχει πολλά ___*συρτάρια*___ .

5. Ο ___*παππούς*___ της είναι ενενήντα τριών χρονών και διαβάζει χωρίς γυαλιά!

6. Σ' αρέσουν οι καινούργιες μου ___*μπότες*___ ; Είναι ιταλικές.

7. Δεν είναι όλοι ___*δικοί*___ μου φίλοι. Οι πιο πολλοί είναι φίλοι του Σπύρου.

8. ___*ποιανής*___ είναι το καπέλο; Δικό της ή της Ελένης;

9. Μπορεί να είναι ακριβό αυτό το _____ , αλλά εμένα δε μ' αρέσει καθόλου.

10. Αυτό εδώ το καταπληκτικό διαμέρισμα είναι του _____ μου του Νίκου.

1 **Κλίνετε τα παρακάτω ρήματα στον αόριστο.**

Αόριστος	Αόριστος	Αόριστος	Αόριστος
είχα	*έδωσα*	*έφτασα*	*ήπια*
είχες	έδωσες	έφτασες	ήπιες
είχε	έδωσε	έφτασε	ήπιε
είχαμε	δώσαμε	φτάσαμε	ήπιαμε
είχατε	δώσατε	φτάσατε	ήπιατε
είχαν	δώσανε	έφτασαν	ήπιανε

2 **Γράψτε τον αόριστο.**

Ενεστώτας	Αόριστος		Ενεστώτας	Αόριστος
1. ξεχνάω	*ξέχασα*	6. έρχεστε	ήρθατε
2. περιμένουμε	περιμέναμε	7. φεύγω	έφυγα
3. πίνεις	ήπιες	8. βγαίνουν	βγήκανε
4. μιλάνε	μιλήσανε	9. παίρνεις	πήρες
5. τρώμε	φάγαμε	10. λέμε	είπαμε

3 **Βάλτε το γράμμα που λείπει.**

Το Σάββατο ο καιρός ήταν πολ_ύ_ ωραί_ο_ς κι έτσι πήγαμ_ε_ σε μια παραλία κοντά στο Σούνιο. Η θάλασσα ήταν ζεστ_ή_ και κολυμπ_ή_σαμε αρκετές _ω_ρες. Κατά τ_ι_ς τρεις φ_ύ_γαμε και πήγαμε σε μια ταβέρνα εκεί κοντά. Φάγαμε ψάρια και σαλάτα και _ή_πιαμε κρασί από το βαρέλι. Γυρ_ή_σαμε στο σπίτι κατά τις έξι, γιατί είχ_ε_ πολλή κίνησ_η_ . Κάναμε ένα ντους, είδαμε τηλεόρασ_η_ , φάγαμε από ένα γιαούρτι και πήγαμε για ύπνο ν_ω_ρίς, γιατί _η_μασταν κουρασμένο_ι_ . (each have their own)

7

4 **Βάλτε τα ρήματα στον αόριστο.**

Προχτές __*πήγα*__ στο κέντρο γιατί __ήθελα__ να αγοράσω ένα ρολόι. __βρήκα__
        (πάω)   (θέλω)   (βρίσκω) *find*

ένα κατάστημα με ρολόγια και __μπήκα__ . __είχαν__ πάρα πολλά ρολόγια σε διάφορες *different*
Store   (μπαίνω) *(enter)*   (έχω)

τιμές. __προτίμησα__ ένα γιαπωνέζικο. Δεν __ήταν__ πολύ ακριβό: __έκανε__ εβδομήντα
prices   (προτιμάω) *prefer*   (είμαι)   (κάνω)

τρία ευρώ. __έδωσα__ στην ταμία εκατό ευρώ αλλά αυτή δεν __είχε__ ψιλά.
      (δίνω)   (έχω) *change*

__ρώτησα__ έναν άλλο πελάτη αλλά και αυτός δεν __είχε__ . Τελικά, ο πωλητής
(ρωτάω)   (έχω) *seller*

__βγήκε__ από το κατάστημα και σε λίγο __γύρισε__ με ψιλά. __πήρα__ το ρολόι,
(βγαίνω)   (γυρίζω)   (παίρνω)

__είπα__ ευχαριστώ, και __έφυγα__
(λέω)   (φεύγω)

5 **Διαλέξτε το σωστό.**

1. Την περασμένη εβδομάδα *τρώω / θα φάω / έφαγα* τρεις φορές μουσακά!

2. Ο διευθυντής *έρχεται / θα έρθει / ήρθε* κάθε μέρα στις εννιά.

3. Πέρσι το καλοκαίρι *περνάμε / θα περάσουμε / περάσαμε* καταπληκτικά στην Κέρκυρα.

4. Οι γονείς μου *γυρίζουν / θα γυρίσουν / γύρισαν* από την Αργεντινή πριν από δύο χρόνια.

5. Ο άντρας μου καμιά φορά *παίζει / θα παίξει / έπαιξε* χαρτιά ώς το πρωί.

6. *Πληρώνω / Θα πληρώσω / Πλήρωσα* τον λογαριασμό την άλλη εβδομάδα.

7. *Συναντάτε / Θα συναντήσετε / Συναντήσατε* πέρσι τους φίλους σας στην Ελλάδα;

8. Η Άννα κι εγώ *βγαίνουμε / θα βγούμε / βγήκαμε* πάντα μαζί.

9. Ποιος *παίρνει / θα πάρει / πήρε* την άλλη εβδομάδα τα ρούχα από το καθαριστήριο;

10. Χθες το βράδυ ο αδελφός μου κι οι φίλοι του *πίνουν / θα πιουν / ήπιαν* οχτώ μπουκάλια κρασί!

11. *Γελάω / Θα γελάσω / Γέλασα* πολύ με την κωμωδία που είδα στην τηλεόραση.

12. Η Ρία *παρακαλεί / θα παρακαλέσει / παρακάλεσε* τον Άκη να της δώσει αύριο το αυτοκινητό του.

6 **Βρείτε το σωστό.**

1. Το όνομα ___δ___ από τους αδελφούς μου είναι Δημόκριτος.
   α. ένας   β. τον   γ. του   δ. ενός

2. Σήμερα δεν μπορείς να καταλάβεις την ηλικία __β__ εύκολα.
   α. μια γυναίκα   β. μιας γυναίκας   γ. τη γυναίκα   δ. η γυναίκα

3. Το μαγαζί ____ μας βρίσκεται πολύ κοντά στο σπίτι της αδελφής σου.
   α. ένας φίλος   β. τον φίλο   γ. ο φίλος   δ. ενός φίλου

4. Ο άντρας ____ έφυγε ξαφνικά τη νύχτα για την Ελβετία.
   α. μια γνωστή κυρία   β. η γνωστή κυρία   γ. μιας γνωστής κυρίας   δ. τη γνωστή κυρία

5. Ο λογαριασμός του τηλεφώνου ____ που ξέρω φτάνει πολλές φορές τα χίλια ευρώ.
   α. ενός καταστήματος   β. το κατάστημα   γ. ένα κατάστημα   δ. κατάστημα

6. Η μητέρα ____ που είναι στην τάξη του γιου μου είναι τραγουδίστρια της όπερας.
   α. ενός παιδιού   β. το παιδί   γ. ένα παιδί   δ. του παιδιού

7 **Απαντήστε στις ερωτήσεις με ολόκληρες προτάσεις.**

1. Τι κάνατε το Σάββατο το βράδυ;
   _____

2. Με ποιον βγήκατε χθες;
   _____

3. Τι ήπιατε σήμερα το πρωί;
   _____

4. Αγοράσατε τίποτε αυτή την εβδομάδα;
   _____

5. Τι ώρα ξυπνήσατε σήμερα;
   _____

6. Σε ποιους τηλεφωνήσατε χθες και προχθές;
   _____

8 Βάλτε τη σωστή λέξη στον σωστό τύπο.

Place le bon mot dans le bon

> κλειστός - το μήνυμα - ξεχνάω - η ταυτότητα - αλλού - η κατοικία - κάτι
> η σύνδεση - η πληροφορία - συμπληρώνω

1. Δε θυμάμαι ποτέ τον αριθμό της **ταυτότητάς** μου.
2. Πρώτα θα _ΣΥΜΠΛΗΡΩΣΕΤΕ_ την αίτηση και μετά θα τη δώσετε στην υπάλληλο.
3. Το γραφείο μας είναι _ΚΛΕΙΣΤΟ_ το σαββατοκύριακο.
4. Η νέα _σύνδεσή_ που ζητάτε είναι για γραφείο ή για _κατοικία_ ;
5. Δε θέλω να πάμε στην ίδια ταβέρνα πάλι. Θέλω να φάμε κάπου _αλλού_ .
6. Πόπο! _ξέχασα_ τα γυαλιά μου στο σπίτι της Δήμητρας.
7. Θα ήθελα μερικές _πληροφορίες_ ακόμα για το διαμέρισμα που νοικιάζετε.
8. Έστειλα δύο _μηνύματα_ στο κινητό του, αλλά αυτός το είχε κλειστό.
9. Είδα _κάτι_ ωραία παπούτσια σ' ένα μαγαζί αλλά ήταν πολύ ακριβά.

9 Ακούστε τον διάλογο στη σελ. 31 του βιβλίου και συμπληρώστε τις λέξεις που λείπουν.

Ο Μάριος είναι **στον** ΟΤΕ, _και_ θέλει να βάλει τηλέφωνο _για_ καινούργιο _του_ διαμέρισμα.

Μάριος Καλημέρα. _Θα ήθελα_ μια νέα σύνδεση, παρακαλώ.

Υπάλληλος Καθίστε. _Πού_ μένετε;

Μάριος _Στην_ Κυψέλη, ε... Μυτιλήνης 27.

Υπάλληλος Μπορώ να έχω _την_ ταυτότητά _σας_ ;

Μάριος Ορίστε.

Υπάλληλος _Για_ κατοικία ή _για_ επαγγελματικό χώρο;

Μάριος _Για_ κατοικία.

Υπάλληλος Ωραία. Θα συμπληρώσετε αυτή _την_ αίτηση _με_ το όνομά _σας_ , τον αριθμό _της_ ταυτότητάς σας, ΑΦΜ και όλα _τα_ άλλα στοιχεία _που_ σας ζητάμε για νέα σύνδεση.

Μάριος Και μετά θα _την_ δώσω κάπου αλλού;

Υπάλληλος Όχι, όχι, εδώ.

1 Βάλτε το σωστό.

1. A: _Πόσους_ φίλους έχεις;
   B: Έχω _____ . (πολλοί)

2. A: _Πόσοι_ φοιτητές θα έρθουν στο πάρτι σήμερα;
   B: Θα έρθουν _πολλοί_ . (πολλοί)

3. A: _Πόσες_ ξένες μαθήτριες ξέρεις;
   B: Μόνο _λίγες_ . (λίγοι)

4. A: _Πόσα_ πιάτα υπάρχουν πάνω στο μεγάλο τραπέζι;
   B: Δεν ξέρω ακριβώς. Υπάρχουν _αρκετά_ , πάντως. (αρκετοί)

5. A: Ξέρεις _πόσες_ γραβάτες έχει ο καθηγητής μας;
   B: Όχι, αλλά, ξέρω ότι έχει πάρα _πολλές_ . (πολλοί)

6. A: _____ υπάλληλοι δουλεύουν σ' αυτό το μαγαζί;
   B: _____ αλλά όλοι δουλεύουν πολύ. (λίγοι)

7. A: Αλήθεια, _πόσα_ νησιά έχει η Ελλάδα;
   B: Πάρα _πολλά_ . (πολλοί)

8. A: _πόσες_ πατάτες χρειαζόμαστε για το φαγητό;
   B: Μόνο _λίγες_ . (λίγοι)

9. A: _Πόσους_ πελάτες έχετε;
   B: Δεν έχουμε _αρκετούς_ ακόμα. (αρκετοί)

2 Γράψτε την προστακτική.

Ενεστώτας	Προστακτική	Ενεστώτας	Προστακτική
1. γράφω	_γράψε, γράψτε_	6. έρχομαι	_έλα / ελάτε_
2. περιμένω	_περίμενε / περιμένετε_	7. φεύγω	_φύγε / φύγετε_
3. ανοίγω	_άνοιξε / ανοίξτε_	8. τρώω	_φάε / φάτε_
4. κάθομαι	_κάθισε / καθίστε_	9. παίρνω	_πάρε / πάρτε_
5. πίνω	_πιες / πιέστε_	10. αφήνω	_άφησε / αφήστε_

Μάθημα 3

3 Γράψτε την προστακτική.

1. Α: Θέλεις να έρθω τώρα;
   Β: Ναι, _**έλα**_ , Νίκο.

2. Α: Μπορώ να φάω;
   Β: Ναι, _φάε_ , παιδί μου.

3. Α: Θα ήθελα να πιω κάτι.
   Β: _πιες_ ό,τι θέλετε.

4. Α: Ποιος θα μαγειρέψει σήμερα;
   Β: _Μαγειρέψτε_ εσείς, αν θέλετε.

5. Α: Τι πρέπει να βρω πρώτα;
   Β: _βρες_ το τηλέφωνό του, Σία.

6. Α: Τι θέλετε να παίξω στην κιθάρα;
   Β: _παίξε_ κάτι ελληνικό, αγόρι μου.

7. Α: Μπορούμε να μπούμε εκεί;
   Β: _μπείτε_ , αλλά προσεκτικά.

8. Α: Τι ώρα να πάω;
   Β: _πήγαινε_ κατά τις οχτώ, κόρη μου.

9. Α: Μπορώ να οδηγήσω εγώ;
   Β: Εντάξει, _οδήγησε_ εσύ.

10. Α: Τι ώρα πρέπει να φύγουμε;
    Β: _φύγετε_ σε δέκα λεπτά.

4 Βρείτε τα λάθη και ξαναγράψτε τις προτάσεις σωστά.

1. Πόσους πολυθρόνες έχετε στο σαλόνι;
   Πόσες πολυθρόνες έχετε στο σαλόνι;

2. Έρχεσαι αμέσως στο γραφείο μου, Κώστα.
   Έλα

3. Τα βιβλία είναι πάνω τον καναπέ.
   στον καναπέ

4. Το τραπεζάκι είναι κάτω στον πίνακα.
   από τον πίνακα

5. Δυστυχώς έχω κανέναν έλληνα φίλο.
   δεν

6. Στο μπάνιο τους υπάρχουν τρεις καθρέφτης.
   _-ες_

7. Κάτσε, παρακαλώ, κυρία Αναστασιάδη.
   Καθίστε

8. Στο γραφείο μας υπάρχουν πολλές υπολογιστές.
   πολλοί υπολογιστές

5 **Κοιτάξτε την εικόνα και γράψτε το σωστό.**

1. Το φυτό και τα γυαλιά είναι __*πάνω στο*__ μεγάλο τραπεζάκι.

2. Το μεγάλο τραπεζάκι είναι ___μπροστά από___ ^(τον) καναπέ.

3. _____ καναπέ υπάρχουν δύο μαξιλάρια.

4. Το ψηλό τραπεζάκι είναι ___αναμεσα___ ^(στον) καναπέ και την πολυθρόνα.

5. Ένα φωτιστικό είναι __πάνω στην__ συρταριέρα.

6. Ο πίνακας είναι __πάνω στο__ καναπέ.

7. Το μικρό παράθυρο είναι __πισω απο__ ^(το) συρταριέρα.

8. __πάνω στο__ ψηλό τραπεζάκι έχει ένα φωτιστικό και ένα αγαλματάκι.

9. Το χαλί είναι __κατω απο__ μεγάλο τραπεζάκι, τον καναπέ και την πολυθρόνα.

6 Περιγράψτε την τάξη ή τον χώρο όπου κάνετε μάθημα. Χρησιμοποιήστε διάφορα τοπικά επιρρήματα καθώς και τα "πολλοί, μερικοί, αρκετοί, λίγοι" στον σωστό τύπο.

_____

_____

_____

_____

_____

_____

_____

_____

7 Βάλτε τη σωστή λέξη στον σωστό τύπο.

μετακομίζω - το μαξιλάρι - η διακοσμήτρια - ο τοίχος - υπέροχος - το διάλειμμα - το φυτό - το έπιπλο - π̶ί̶σ̶ω̶ - το φωτιστικό

1. _____**Πίσω**_____ από το σχολείο μας υπάρχει ένα σινεμά.

2. «Τι δουλειά κάνει η κόρη σου;» «Είναι _____ .»

3. Την άλλη εβδομάδα θα έρθουν τα _____ μας στην Ελλάδα.

4. Θα βάλουμε τα _____ δίπλα στη βιβλιοθήκη.

5. Το χρώμα αυτού του _____ δεν μου αρέσει καθόλου.

6. Τον άλλο μήνα θα _____ στο καινούργιο μας διαμέρισμα.

7. Πρέπει να αγοράσουμε ακόμα ένα _____ για το άλλο τραπεζάκι.

8. Στο σχολείο κάνουμε _____ στις 11:00 ακριβώς.

9. Συγνώμη, το κρεβάτι έχει σεντόνια, αλλά δεν έχει _____ .

10. Η ταινία που είδαμε χτες ήταν _____ .

1 Βάλτε (΄) όπου χρειάζεται.

- Εισαι ελευθερος αποψε;
- Ναι, ειμαι. Γιατι;
- Θελεις να φαμε εξω;
- Δεν πειναω. Προτιμω να παμε σε κανενα μπαρακι.
- Ενταξει. Σε ποιο λες να παμε;
- Εχει ενα κοντα στο σπιτι της θειας μου. Το "Εννια Μουσες".
- Α, ναι. Ειναι πολυ ωραιο. Τι ωρα λες να συναντηθουμε;
- Ελα κατα τις δεκα στο σπιτι. Ακουμε λιγη μουσικη και μετα φευγουμε.
- Εγινε. Γεια.

2 Διαλέξτε το σωστό.

1. «Ο διευθυντής θέλει μόνο __γ__ .» «Δε θέλει κανέναν άλλο;»
   α. εγώ   β. με   γ. εμένα

2. «Ποιοι θα φάνε τυρόπιτα;» « _____ .»
   α. Εμείς   β. Μας   γ. Εμάς

3. «Πότε _____ είδε;» «Προχτές το πρωί.»
   α. εσύ   β. σε   γ. εσένα

4. «Ποιος ήπιε την μπίρα μου;» «Εγώ _____ ήπια. Δεν ήξερα ότι ήταν δικιά σου.»
   α. αυτή   β. την   γ. αυτήν

5. «Αυτά τα λουλούδια είναι για _____ .» «Ναι; Από ποιον;»
   α. εσείς   β. σας   γ. εσύ

6. «Δεν ξέρω εσείς τι θα κάνετε, αλλά _____ πάω για ύπνο.» «Όπως νομίζεις.»
   α. εγώ   β. με   γ. εμένα

7. «Για ποιον ήταν το τζιν;» «Γι' _____ .»
   α. αυτός   β. τον   γ. αυτόν

8. « _____ βρήκε ο Γιώργος χθες;» «Ναι, ευτυχώς μας βρήκε.»
   α. Εσείς   β. Σας   γ. Εσάς

3 Γράψτε δύο μικρούς διαλόγους. Στον πρώτο διάλογο ο ένας προτείνει και ο άλλος δέχεται. Στον δεύτερο διάλογο ο ένας προτείνει αλλά ο άλλος αρνείται.

_____

_____

_____

_____

_____

_____

_____

_____

_____

_____

_____

_____

4 Γράψτε το γράμμα που λείπει.

«Συγνώμ_**η**_ , πώς μπ___ρώ να πάω από εδ___ στο θέατρο 'Άλφα';»

«Θα προχωρ___σεις ευθ___ία, θα περάσεις τα πρ___τα φανάρια και στο

ξενοδοχε___ο 'Ακρόπολις' θα στρίψ___ις δεξιά. Θα προχωρήσεις περίπου

διακ___σια μέτρα και θα στρίψεις αρ___στερά στην οδ___ Πλαστήρα.

Το θέατρο είναι στο αριστερ___ σου χέρ___ , στα ___ίκοσι μέτρα περίπου.»

«Ευχαριστ___ .»

5 **Διαλέξτε το σωστό.**

1. Μιλάτε αρκετά καλά ελληνικά. Μπράβο *σου*/*σας*/*μας*.

2. Έμαθα ότι ο Γιάννης πήγε καλά στο διαγώνισμα. Μπράβο *του*/*σου*/*σας*.

3. Τελικά τελειώσαμε πιο νωρίς. Μπράβο *σας*/*της*/*μας*.

4. Βλέπω ότι έφαγες όλο σου το φαγητό, Αννούλα. Μπράβο *σου*/*σας*/*της*.

5. Ούτε πίνει, ούτε καπνίζει. Μπράβο *σου*/*της*/*σας*.

6. Καθάρισαν το σπίτι και έπλυναν όλα τα πιάτα; Μπράβο *μας*/*του*/*τους*.

7. Το παιδί σας παίζει πολύ καλό τένις. Μπράβο *σου*/*μας*/*του*.

6 **Βάλτε τα άρθρα και τα ουσιαστικά στη γενική πληθυντικού.**

1. Εκείνα τα ρούχα είναι ____*των αγοριών*____ . (το αγόρι)

2. Ποια είναι η τιμή _____ ; (το βιβλίο)

3. Το μάθημα 6 είναι επανάληψη _____ 1 - 5. (το μάθημα)

4. Στην ατζέντα μου τα ονόματα _____ είναι στα αγγλικά. (η ημέρα)

5. Ξέρεις τα ονόματα _____ πίσω από το Στάδιο; (ο δρόμος)

6. Τα γραφεία _____ τους είναι ακριβώς απέναντι. (ο άντρας)

7. Πού έβαλες τα κλειδιά _____ ; (το αυτοκίνητο)

8. Η λύση _____ δεν είναι εύκολη. (το πρόβλημα)

9. Το μαγαζί _____ μου είναι στην οδό Ερμού. (ο αδελφός)

10. Τα νερά _____ στην Ελλάδα είναι πολύ καθαρά. Ακόμα. (η θάλασσα)

11. Τα προβλήματα _____ μου είναι και δικά μου προβλήματα. (το παιδί)

12. Έχουμε τα τηλέφωνα _____ στον υπολογιστή; (ο φοιτητής)

7 **Ακούστε τον διάλογο στη σελίδα 45 του βιβλίου και συμπληρώστε τα κενά.**

«Η κόρη ___*σας*___ άφησε το κλειδί ____ και βγήκε», είπε ο υπάλληλος στη ρεσεψιόν. «Α, ναι.

Υπάρχει κι ένα σημείωμα για ____ , κυρία Πάπας, αλλά νομίζω ότι είναι από χτες. Ορίστε!»

Η Φράνσις ____ διάβασε:

«Μαμά, δεν ____ περίμενα από _____ . Μπράβο ____ !

Πάω βόλτα με το σκάφος των φίλων ____ .

Δεν ξέρω πότε θα γυρίσω.

Εύα»

«Τι λέει;» ρώτησε ο Τζον.

«Πάει μια βόλτα με το σκάφος των φίλων ____ .»

«Των φίλων ____ ; Και ποιοι είναι αυτοί οι φίλοι ____ ; Είσαι σίγουρη ότι δεν ξέρεις κανέναν

απ' ____ ;»

«Δε νομίζω. Πέρσι μόνο ήρθε μια φορά στο ξενοδοχείο μ' έναν νέο.»

«Ποιος ήταν;»

«Δε θυμάμαι τ' όνομά ____ .»

«Αχ, Φράνσις. Τι θα κάνω με ____ ;»

8 **Βάλτε τη σωστή λέξη στον σωστό τύπο.**

> το ραντεβού - η διάβαση - η οδηγία - το σκάφος - ο νέος - στρίβω - το φανάρι - ευθεία - συνεχίζω - ελεύθερος

1. Θα προχωρήσεις ___*ευθεία*___ και το εστιατόριο είναι δεξιά στα εκατό μέτρα.

2. Για το ταχυδρομείο πρέπει να _____ στον δεύτερο ή στον τρίτο δρόμο;

3. Έχω _____ με τον δικηγόρο μου στη μιάμιση στο γραφείο του.

4. Δυστυχώς, δεν είμαστε _____ το Σάββατο. Έχουμε να πάμε σ' έναν γάμο.

5. Θα περάσετε τα πρώτα _____ και θα μπείτε στον πρώτο δρόμο αριστερά.

6. Μιλάς μισή ώρα αλλά αυτή δεν σε ακούει. Γιατί _____ ;

7. Ο _____ που ήρθε για τη δουλειά ήταν Ρώσος.

8. Με τη βροχή η υπόγεια _____ γέμισε νερά.

9. Πέρσι ταξιδέψαμε με το _____ του Μιχάλη σε διάφορα νησιά του Αιγαίου.

10. Οι _____ για τον μουσακά στο τετράδιο της γιαγιάς ήταν δύσκολες.

1 Αντικαταστήστε τις υπογραμμισμένες λέξεις με τη σωστή αντωνυμία στη γενική.

1. Θέλεις να δώσω το τηλέφωνό σου στον Ιάσονα;

   Θέλεις να του δώσω το τηλέφωνό σου;

2. Ποιος μίλησε για την αδελφή μου σε σας;

   Ποιος σας μίλησε για την αδελφή μου;

3. Μπορείτε να τηλεφωνήσετε στη Στέλα, σας παρακαλώ;

   Μπορείτε να της τηλεφωνήσετε, σας παρακαλώ;

4. Θα πάρεις αυτό το δαχτυλίδι για μένα, αγάπη μου;

   Θα μου πάρεις αυτό το δαχτυλίδι, αγάπη μου; / Θα μου το πάρεις;

5. Θα παίξεις κάτι για τις αδελφές μου στο πιάνο;

   Θα τους παίξεις κάτι στο πιάνο;

6. Γιατί έδωσες σε μας τα εφτακόσια ευρώ;

   Γιατί μας έδωσες τα εφτακόσια ευρώ;

7. Είσαι βέβαιος ότι θα βρει για σένα μια παλιά εικόνα;

   Είσαι βέβαιος ότι θα σου βρει μια παλιά εικόνα;
   Την

2 Διαλέξτε το σωστό.

1. *Σε/Σου* έδωσε ο Γιάννης τα λεφτά;
2. Θέλω να *με/μου* πεις γιατί δεν ήρθες μαζί μας.
3. Ποιος θα *τον/του* περιμένει; Εσύ ή εγώ;
4. *Σε/Σου* θέλει ο διευθυντής στο γραφείο του.
5. *Την/Της* έγραψες πριν από δέκα μέρες και δεν πήρε το γράμμα σου ακόμα;
6. Τι σκέφτεσαι να *τον/του* πάρεις για τη γιορτή του; name day
7. *Την/Της* είδα για πρώτη φορά στο πάρτι της Ουρανίας.
8. Θα *με/μου* πάρεις τηλέφωνο αύριο από τη δουλειά σου.
9. Πότε *σε/σου* τηλεφώνησε η Κάτια από τη Μόσχα;

3 Χρησιμοποιήστε τις λέξεις-κλειδιά και γράψτε προτάσεις.

1. Αλεξία / ήρθε / Ελλάδα / 20.6.1999

   Η Αλεξία ήρθε στην Ελλάδα στις είκοσι Ιουνίου του χίλια εννιακόσια ενενήντα εννέα.

2. Φώτης / πήγε / Κρήτη / 14.9.1998

   _____

3. παιδιά τους / μπήκαν / πανεπιστήμιο / 1.10.2007

   _____

4. Νοικιάσαμε / καινούργιο μας / διαμέρισμα / 23.3.2011

   _____

5. Έφυγαν / για / Αγγλία / 16.8.2008

   _____

6. πατέρας μου / γύρισε / από / Αργεντινή / 31.12.1997

   _____

4 Γράψτε το σωστό.

1. Ένα κατοστάρικο είναι πέντε ___*εικοσάρικα*___ .

2. Δύο εικοσάρικα είναι οχτώ _____ .

3. Ένα πεντακοσάρικο είναι δέκα _____ .

4. Δύο πενηντάρικα είναι δέκα _____ .

5. Τρία τάλιρα είναι δεκαπέντε _____ .

5 Γράψτε 15 πράγματα που μπορείτε να αγοράσετε στο περίπτερο.

   _____

   _____

   _____

6 Βάλτε τον προσδιοριστή και το άρθρο στον σωστό τύπο.

1. Μήπως είδες ___*εκείνη την*___ κοπέλα με το κόκκινο φόρεμα; (εκείνος)

2. _____ άντρες του χωριού ήταν στο καφενείο. (όλος)

3. Την ξέρω _____ δικηγόρο. Ήμασταν συμμαθήτριες. (αυτός)

4. _____ κόσμος ξέρει ότι βγαίνουν μαζί κι εσύ δεν έχεις ιδέα; (όλος)

5. _____ παντελόνια πρέπει να πάνε στο καθαριστήριο. (εκείνος)

6. Χθες _____ ημέρα ήμουν στη θάλασσα. (όλος)

7. _____ αγάλματα είναι ελληνικά. (αυτός)

8. Ο Ιάσονας ξέρει _____ μαθήτριες του σχολείου! (όλος)

7 Χρησιμοποιήστε τα ουσιαστικά που είναι στο πρώτο κουτί, βάλτε τα επίθετα που είναι στο δεύτερο κουτί στον σωστό τύπο, και φτιάξτε προτάσεις.

η δασκάλα - τα μαξιλάρια - η γυναίκα - οι σταφίδες - η ντομάτα - η πάστα - το άρθρο

φτωχός - κακός - θηλυκός - μαλακός - ξανθός - γλυκός - φρέσκος

1. _____

2. _____

3. _____

4. _____

5. _____

6. _____

7. _____

8 Ακούστε ένα μέρος από το ημερολόγιο της Ζωής στη σελίδα 50 του βιβλίου, και γράψτε τα ρήματα που λείπουν.

Το πρωί __*πήγα*__ στον γιατρό. Του _____ ότι _____ ακόμα πρόβλημα και μου _____ μια νέα θεραπεία για την αλλεργία μου.

Στις έντεκα _____ τη Ρία και _____ για καφέ στο Θησείο.

Ο καιρός _____ θαυμάσιος και η θέα της Ακρόπολης μαγευτική.

Ο Μιχάλης μού _____ μήνυμα στο κινητό και μου _____ συγγνώμη. Επιτέλους! Δεν του _____ ακόμα.

_____ σπίτι κατά τις δύο. _____ μια σαλατούλα. _____ λίγο εφημερίδα.

Τον _____ μισή ωρίτσα στο μπαλκόνι. _____ με το τηλέφωνο.

_____ η μαμά μου. Μου _____ ότι _____ στην Αθήνα ο θείος μου ο Μπάμπης κι η θεία Ηρώ. _____ να με δουν. Της _____ ότι θα τους _____ .

9 Βάλτε τη σωστή λέξη στον σωστό τύπο.

η θεραπεία - επιτέλους - διαλέγω - γκρινιάζω - πονηρός - χαλάω - συναντάω - το κέφι - το ημερολόγιο

1. Θέλω να μείνω σπίτι μου απόψε. Δεν έχω __*κέφι*__ να πάω πουθενά.

2. Πρέπει να γράψω οπωσδήποτε στο _____ μου αυτό που έγινε σήμερα στην τάξη.

3. _____ ήρθες! Πού ήσουνα, βρε παιδί μου; Σε περιμένω μία ώρα.

4. Μπορείτε να μου _____ ένα πεντακοσάρικο, σας παρακαλώ;

5. Μετά τη _____ που έκανα με βιταμίνες αισθάνομαι πάρα πολύ καλά.

6. Το Σάββατο έχω να _____ δύο πελάτες από την Αίγυπτο.

7. Δεν μπορείς να πάρεις και τα πέντε CD. Πρέπει να _____ μόνο δύο.

8. Τι _____ που είναι! Πάντα σκέφτεται κάτι για να της κάνουν οι άλλοι τη δουλειά της.

9. Μην _____ , παιδί μου. Θα φας παγωτό αλλά μετά το φαγητό.

1 Κλίνετε τα παρακάτω ρήματα στον ενεστώτα.

Ενεστώτας	Ενεστώτας	Ενεστώτας	Ενεστώτας
πλένομαι	*ντύνομαι*	*θυμάμαι*	*φοβάμαι*
_____	_____	_____	_____
_____	_____	_____	_____
_____	_____	_____	_____
_____	_____	_____	_____
_____	_____	_____	_____

2 Βάλτε τα ρήματα στο σωστό πρόσωπο.

1. Εσύ _**σηκώνεσαι**_ (σηκώνομαι)
2. Εμείς _____ (πλένομαι)
3. Αυτή _____ (ξεκουράζομαι)
4. Εγώ _____ (φοβάμαι)
5. Εσείς _____ (χτενίζομαι)
6. Αυτοί _____ (λυπάμαι)
7. Εμείς _____ (ξυρίζομαι)
8. Εσύ _____ (κοιμάμαι)
9. Αυτές _____ (ντύνομαι)
10. Εγώ _____ (θυμάμαι)

3 Βάλτε τα γράμματα που λείπουν.

Ο Γιώργος το πρωί σηκώνετ____ στις εφτάμισι. Πάει στο μπάνιο, ξυρ____ζεται, πλένεται, χτεν____ζεται και μετά πάει στην κουζίνα για να ετοιμάσ____ το πρωινό του. Συνήθ____ς τρώει δύο φρυγανιές με βούτυρο και μέλ____ και πίνει ένα φλιτζάνι καφέ. Ύστερα πάει στο δ____μάτιό του. Φτιάχνει το κρεβάτι του, ντύνετ____ , π____ρνει τα πράγματά του και φε____γει για τη δουλειά του. Γ____ρίζει στο σπίτι κατά τις τρ____σήμισι. Τρώει κάτι και μετά ξεκουράζ____ται καμιά ωρίτσα.

4 Βάλτε τα άρθρα, τα ουσιαστικά, και τα επίθετα στη γενική.

1. Το πουλόβερ είναι _της μεγάλης μου αδελφής_ . (η μεγάλη μου αδελφή)

2. Εκείνη η γραβάτα είναι _____ . (ο κύριος Ράπτης)

3. Τα βιβλία είναι _____ . (οι καινούργιες καθηγήτριες)

4. Αυτά τα κλειδιά είναι _____ . (το παλιό τους αυτοκίνητο)

5. Εκείνα τα ρούχα είναι _____ . (τα μικρά αγόρια)

6. Η διεύθυνση είναι _____ . (το άλλο διαμέρισμα)

7. Αυτή είναι η κόρη _____ . (ο μεγάλος μου αδελφός)

8. Οι κύριοι είναι διευθυντές _____ . (τα άλλα καταστήματα)

9. Το τηλέφωνο είναι _____ . (το Αρχαιολογικό Μουσείο)

10. Η ζωή _____ δεν είναι εύκολη. (οι φτωχοί άνθρωποι)

5 Γράψτε τις ερωτήσεις.

1. Α: _Πόσο καιρό_ _____

   Β: Έχω εφτά μήνες ακριβώς.

2. Α: _____

   Β: Περιμένω πάνω από μία ώρα, αλλά ακόμα δεν ήρθε.

3. Α: _____

   Β: Είμαστε από τις εννιά το πρωί.

4. Α: _____

   Β: Δουλεύει τέσσερα χρόνια τώρα.

5. Α: _____

   Β: Περιμένουν δύο εβδομάδες περίπου.

6. Α: _____

   Β: Χρειάζεται ένα τέταρτο.

6 Γράψτε τα αντίθετα.

1. κάθομαι _____
2. κοιμάμαι _____
3. μέρα _____
4. νωρίς _____
5. θυμάμαι _____

6. φεύγω _____
7. κουράζομαι _____
8. δυστυχώς _____
9. πλούσιος _____
10. ανοιχτό _____

7 Διαβάστε ή ακούστε τον διάλογο στη σελίδα 66 του βιβλίο και γράψτε μια παράγραφο για τη ζωή του ολυμπιονίκη Κώστα Ρεσπέρη.

_____

_____

_____

_____

_____

_____

8 Γράψτε μια παράγραφο για την καθημερινή σας ζωή. Χρησιμοποιήστε όσα μέσα και αποθετικά ρήματα Γ1 και Γ2 μπορείτε.

_____

_____

_____

_____

_____

_____

9 **Απαντήστε στις ερωτήσεις με ολόκληρες προτάσεις.**

1. Κάνετε κάποια σπορ; Αν ναι, ποια;

_____

2. Τι ώρα σηκώνεστε συνήθως την Κυριακή το πρωί;

_____

3. Πόσο καιρό μαθαίνετε ελληνικά;

_____

4. Ποιες δουλειές του σπιτιού κάνετε εσείς;

_____

5. Ποια αθλήματα σας αρέσουν πιο πολύ;

_____

6. Πώς περνάτε τον ελεύθερο χρόνο σας;

_____

10 **Βάλτε τη σωστή λέξη στον σωστό τύπο.**

> ντύνομαι - ξεσκονίζω - στρώνω - ο αθλητής - η εκπομπή - το αργότερο - σιδερώνω -
> σωστός - καλεσμένος

1. Πρώτα θα σκουπίσω και μετά ___*θα στρώσω*___ τα κρεβάτια.

2. Ευτυχώς η μητέρα μου _____ όλα μου τα πουκάμισα χθες.

3. Το Σάββατο το βράδυ θα έχουμε _____ στο σπίτι μας.

4. Πρέπει να φύγουμε _____ σε δέκα λεπτά. Είσαι έτοιμος;

5. Νομίζω ότι η απάντηση που έδωσα ήταν _____ .

6. Στους Ολυμπιακούς Αγώνες θα πάρουν μέρος μερικοί έλληνες _____ .

7. Κάθε πρωί ακούω _____ του Κώστα Πρετεντέρη στο ραδιόφωνο.

8. Τα παιδιά έφαγαν, αλλά δεν _____ ακόμα.

9. Τι θα γίνει; Θα _____ εσύ το σαλόνι; Θα έρθει η θεία απόψε.

❶ Κλίνετε τα παρακάτω ρήματα στον απλό μέλλοντα.

Μέλλοντας	Μέλλοντας	Μέλλοντας	Μέλλοντας
θα ντυθώ	*θα παντρευτώ*	*θα θυμηθώ*	*θα σκεφτώ*
_____	_____	_____	_____
_____	_____	_____	_____
_____	_____	_____	_____
_____	_____	_____	_____
_____	_____	_____	_____

❷ Γράψτε τον απλό μέλλοντα και την απλή υποτακτική.

Ενεστώτας	Μέλλοντας/Υποτακτική		Ενεστώτας	Μέλλοντας/Υποτακτική
1. σηκώνομαι	*θα/να σηκωθώ*	6. λυπόμαστε		_____
2. κοιμάται	_____	7. χτενίζεσαι		_____
3. ξυρίζονται	_____	8. φοβούνται		_____
4. πλένεστε	_____	9. αισθάνεται		_____
5. ετοιμάζεσαι	_____	10. ντυνόμαστε		_____

❸ Βάλτε τα γράμματα που λείπουν.

Το τρι_**ή**_μερο του Αγίου Πνεύματος θα πάμε στο Λεωνίδιο, στην Πελοπόνν_σο, για να ξ_κουραστούμε. Το Σάββατο το πρω___ θα σηκ___θούμε κατά τ___ς εφτά. Πρέπει να φ___γουμε ν___ρίς, γιατ___ μετά θα έχει κ___νηση. Αν ξεκ___νήσουμε από το σπίτ___ μας στις οχτώ και ___λα πάνε καλά, κατά τις δ___δεκα το μεσ___μεράκ___ θα ___μαστε στο Λεων___διο. Θα καθ___ σουμε στο ταβερνάκ___ στην Πλάκα δίπλα στη θάλα___σα για κανένα ουζάκ___ , και μετά θα πάμε για μπάν___ο. Το απόγε___μα θα κ___μηθούμε και το βραδάκι θα πάμε στον Κοσμά, ένα χ___ριό κοντά στο Λεωνίδιο, για φαγ___τό.

4 Βάλτε τα ρήματα στον απλό μέλλοντα ή την απλή υποτακτική, ανάλογα.

1. Η γυναίκα μου πρέπει να _____ πριν από τις έξι αύριο. (σηκώνομαι)

2. Αν _____ γρήγορα, αγάπη μου, θα προλάβουμε. Διαφορετικά... (ντύνομαι)

3. Εμείς, πάντως, θα _____ στο ίδιο δωμάτιο. Εσείς κάνετε ό,τι νομίζετε. (κοιμάμαι)

4. Λυπάμαι αλλά θα _____ πρώτος, γιατί βιάζομαι πολύ. (ξυρίζομαι)

5. Αν _____ καλύτερα, θα βγει λίγο από το σπίτι. (αισθάνομαι)

6. Πρέπει οπωσδήποτε να _____ να φέρουν το κρασί και τις μπίρες. (θυμάμαι)

7. Και ο άντρας μου και εγώ θα _____ πολύ, αν δεν έρθετε. (λυπάμαι)

8. Αν δεν _____ , Γιαννάκη, σου το λέω, δε θα πας στο σινεμά. (πλένομαι)

9. Οι αθλητές προτιμούν να _____ μέσα, γιατί έξω κάνει πολύ κρύο. (γυμνάζομαι)

5 Διαλέξτε το σωστό.

1. Περάσαμε πολύ *ωραίο/ωραία* το σαββατοκύριακο.

2. Τρέξε *γρήγορη/γρήγορα*, Ελένη. Το λεωφορείο φεύγει.

3. Το γλυκό που μας φτιάξατε, κυρία Σοφία, ήταν *εξαιρετικό/εξαιρετικά*.

4. Εγώ σας ρώτησα πολύ *ευγενικός/ευγενικά*. Εσείς γιατί μου απαντάτε έτσι;

5. Όταν πήγα να κοιμηθώ, η ώρα ήταν δώδεκα και τέταρτο *ακριβός/ακριβώς*.

6. Ο Γιάννης είναι πιο *αργός/αργά* στα μαθήματά του αλλά δουλεύει πιο *προσεκτικός/προσεκτικά*.

7. Θα στρίψουμε εδώ *δεξιό/δεξιά*. Το σπίτι τους είναι πιο κάτω *αριστερή/αριστερά*.

8. Η καθηγήτρια μιλάει *διαρκής/διαρκώς* στην τάξη.

9. Το μαγαζί είναι σε πολύ *καλό/καλά* δρόμο αλλά οι δουλειές δεν πάνε καθόλου *καλές/καλά*.

10. Δουλεύω *πολλές/πολύ* ώρες την ημέρα, κι έτσι τους φίλους μου τους βλέπω *σπάνιους/σπάνια*.

6 **Απαντήστε στις ερωτήσεις.**

1. Τι πρέπει να κάνεις για να νοικιάσεις ένα διαμέρισμα;

_____

_____

2. Τι πρέπει να κάνεις για να ταξιδέψεις με το αεροπλάνο;

_____

_____

3. Τι πρέπει να κάνεις για να βρεις μια καλή δουλειά;

_____

_____

4. Τι πρέπει να κάνεις για να μπεις σ' ένα πανεπιστήμιο;

_____

_____

5. Τι πρέπει να κάνεις για να αγοράσεις καινούργιο μηχανάκι;

_____

_____

7 **Γράψτε μια παράγραφο γι' αυτά που θα κάνετε το σαββατοκύριακο.
Χρησιμοποιήστε όσα μέσα και αποθετικά ρήματα Γ1 και Γ2 μπορείτε.**

_____

_____

_____

_____

_____

_____

_____

8 **Γράψτε τι σημαίνουν οι παρακάτω λέξεις.**

1. το τριήμερο ___*τρεις μέρες*___

2. το σκι _____

3. υπέροχος _____

4. το αρχοντικό _____

5. ο ξενώνας _____

6. μασκαρεύομαι _____

7. περπατάω _____

8. τα νηστήσιμα _____

9. η ψαροταβέρνα _____

10. η λαγάνα _____

9 **Βάλτε τη σωστή λέξη στον σωστό τύπο.**

η παρέα - γλεντάω - η ξεκούραση - η πεζοπορία - οι διακοπές - η κίνηση - παραδοσιακός - η σπεσιαλιτέ - η ταλαιπωρία - η επιστροφή

1. Μετά από 10 ώρες δουλειά νομίζω ότι χρειάζεσαι λίγη ___*ξεκούραση*___ .

2. Στο Γαλαξίδι μείναμε σ' έναν μικρό _____ ξενώνα.

3. Απόψε λέμε να πάμε να _____ στα μπουζούκια. Θέλετε να έρθετε κι εσείς;

4. Περιμέναμε τρεις ώρες για να αγοράσουμε εισιτήρια! Μεγάλη _____ , φίλε μου.

5. Εφέτος το καλοκαίρι θα πάμε _____ με κάτι φίλους μας από το Βέλγιο.

6. Η μάνα μου μαγειρεύει πολλά φαγητά, αλλά η _____ της είναι το παστίτσιο.

7. Για να πάτε μόνο, είναι 120 ευρώ. Το εισιτήριο με _____ κάνει 200 ευρώ.

8. Χθες το βράδυ συνάντησα σ' ένα μπαρ τη Δάφνη με την _____ της.

9. Του άντρα μου του αρέσει πολύ η _____ . Κάθε Σάββατο περπατάει 5 με 6 ώρες.

10. Είχε φοβερή _____ . Έκανα δύο ώρες να έρθω από τη δουλειά στο σπίτι.

1 Κλίνετε τα παρακάτω ρήματα στον αόριστο.

Αόριστος	Αόριστος	Αόριστος	Αόριστος
ντύθηκα	*σκέφτηκα*	*θυμήθηκα*	*πλύθηκα*

2 Βάλτε τα ρήματα στον σωστό τύπο.

1.	χτενίζεται	*θα χτενιστεί*	*χτενίστηκε*
2.	_____	_____	λυπήθηκαν
3.	_____	θα περάσω	_____
4.	παρακαλούμε	_____	_____
5.	_____	θα παντρευτούμε	_____
6.	_____	_____	θυμηθήκατε
7.	αργεί	_____	_____
8.	_____	_____	ξέραμε
9.	_____	θα κρυφτείς	_____
10.	διψάμε	_____	_____
11.	_____	θα πλυθείτε	_____
12.	_____	_____	βρήκαν
13.	δίνει	_____	_____

3 Βάλτε τα ρήματα στον σωστό χρόνο.

Το περασμένο Σάββατο το βράδυ ο Γιάννης κι εγώ __*συμφωνήσαμε*__ (συμφωνώ) να πάμε στο θέατρο. Το απόγευμα _____ (ξεκουράζομαι) μια ωρίτσα, γιατί η εβδομάδα ήταν αρκετά κουραστική και για τους δυο μας. Κατά τις έξι _____ (σηκώνομαι), _____ (πίνω) τον καφέ μας και μετά ο Γιάννης _____ (ξυρίζομαι). Εγώ δεν _____ (ξυρίζομαι) ποτέ, γιατί έχω μούσι. Ύστερα _____ (πλένομαι), πρώτα ο ένας και μετά ο άλλος, και _____ (ντύνομαι). Ο Γιάννης, όπως πάντα, _____ (ετοιμάζομαι) πρώτος. Εγώ είναι αλήθεια ότι συνήθως _____ (αργώ). Ήρθε η ώρα να _____ (ξεκινάω), αλλά δεν μπορούσα να _____ (βρίσκω) τα κλειδιά του αυτοκινήτου. _____ (ψάχνω) παντού αλλά δεν τα _____ (βρίσκω) πουθενά. Μετά εγώ _____ (θυμάμαι) ότι το αυτοκίνητο _____ (είμαι) στο γκαράζ της γειτονιάς, μαζί με τα κλειδιά, βέβαια. _____ (τρέχω) και οι δύο γρήγορα να _____ (παίρνω) το αυτοκίνητο. Όταν όμως _____ (φτάνω), το γκαράζ _____ (είμαι) κλειστό.

4 Απαντήστε στις ερωτήσεις με ολόκληρες προτάσεις.

1. Τι ώρα σηκωθήκατε σήμερα το πρωί;

   _____

2. Πού κοιμηθήκατε χθες το βράδυ;

   _____

3. Ξεκουραστήκατε καθόλου το Σάββατο το μεσημέρι;

   _____

4. Θυμηθήκατε να αγοράσετε εφημερίδα σήμερα;

   _____

5. Ποιο ήταν το πρώτο πράγμα που σκεφτήκατε το πρωί;

   _____

6. Πόσο καλά ετοιμαστήκατε για το μάθημα;

   _____

5 Γράψτε μια μικρή ιστορία που έγινε στο παρελθόν.
Χρησιμοποιήστε τα ρήματα που είναι στο πλαίσιο και όσα άλλα χρειάζεστε.

σηκώνομαι - πλένομαι - ετοιμάζομαι - ντύνομαι - κοιμάμαι - σκέφτομαι - έρχομαι

_____

_____

_____

_____

_____

_____

_____

_____

6 Ακούστε τον διάλογο στην άσκηση 11 του βιβλίου και συμπληρώστε
τα κενά.

Κυρία   Συγγνώμη, θέλω να ___**πάω**___ στο νοσοκομείο 'Γιώργος Γεννηματάς'.

               Μήπως _____ σε ποια στάση πρέπει να _____ ;

Κύριος   Θα _____ στην 'Εθνική Άμυνα'. Αυτή η γραμμή όμως δεν _____ εκεί.

               Θα _____ στο 'Σύνταγμα' και από 'κεί θα _____ τη γραμμή που πηγαίνει

               προς 'Σταυρό'.

Κυρία   Θα πρέπει να _____ καινούργιο εισιτήριο;

Κύριος   Όχι, θα _____ αυτό που έχετε. Όταν _____ από τον συρμό,

               θα _____ το τόξο που λέει 'Σταυρός'.

Κυρία   Σας _____ πάρα πολύ. Δεν _____ από την Αθήνα και δεν _____ καλά

               το μετρό.

Κύριος   Κανένα πρόβλημα.

Φωνή   Επόμενη στάση 'Συγγρού-Φιξ'.

7 Γράψτε τα αντίθετα.

1. τελειώνω ___*αρχίζω*___

2. μακριά _____

3. παίρνω _____

4. έξω _____

5. ρωτάω _____

6. πάω _____

7. πριν _____

8. ανοίγω _____

9. κατεβαίνω _____

10. πίσω _____

8 Βάλτε τη σωστή λέξη στον σωστό τύπο.

> η ταινία - οπωσδήποτε - το αποτέλεσμα - εργάζομαι - το αεροδρόμιο - καταφέρνω - η καθυστέρηση - τεράστιος - το γήπεδο - η στροφή

1. Ο Σπύρος ___*εργάζεται*___ εφτά χρόνια σ' αυτό το τουριστικό γραφείο.

2. Το _____ αυτής της ιστορίας ήταν ότι παντρεύτηκε η Αλίκη τον Τάκη!

3. Ξέρεις πού στρίβει το λεωφορείο. Ε, το σπίτι μας είναι το πρώτο μετά τη _____ .

4. Το τρένο θα έχει 25 λεπτά _____ . Πάμε για έναν γρήγορο καφέ;

5. Θα έρθω εγώ να σε πάρω από το _____ . Τι ώρα φτάνει η πτήση σου;

6. Του αρέσει πολύ το ποδόσφαιρο. Πηγαίνει κάθε Κυριακή στο _____ .

7. Πρέπει _____ να έρθεις μαζί μας. Θα περάσουμε υπέροχα.

8. Έχουν _____ προβλήματα με τα παιδιά τους. Δεν ξέρουν τι να κάνουν.

9. Τι έγινε χθες, Βασίλη; _____ να βρεις φτηνά εισιτήρια για το Σάββατο;

10. Προχθές είδαμε μια καλή τούρκικη _____ στο σινεμά ''Έλλη'.

1 Χρησιμοποιήστε τον προσδιοριστή "πόσος, -η, -ο" και γράψτε ερωτήσεις.

1. Α: _____

   Β: Έχουμε λίγη μόνο. Πρέπει να αγοράσουμε.

2. Α: _____

   Β: Υπάρχει αρκετός για δύο εβδομάδες.

3. Α: _____

   Β: Δεν έχουμε καθόλου λάδι.

4. Α: _____

   Β: Υπάρχει πολλή. Δε χρειαζόμαστε ακόμα.

5. Α: _____

   Β: Τελικά, είχε λίγο. Περίπου δέκα ή δώδεκα άτομα.

6. Α: _____

   Β: Έχουμε αρκετό, νομίζω. Τρία ή τέσσερα κουτιά.

2 Διαλέξτε το σωστό.

1. __γ__ βιβλία θέλουμε για την τάξη;
   α. Πόσο   β. Πόσες   γ. Πόσα

2. Έχουμε ____ ζάχαρη.
   α. αρκετή   β. αρκετό   γ. αρκετοί

3. Χρειαζόμαστε ____ ρύζι γι' απόψε.
   α. πολύ   β. πολλή   γ. πολλοί

4. Υπάρχουν ____ Βουλγάρες στην τάξη.
   α. αρκετή   β. αρκετές   γ. αρκετοί

5. ____ έλληνες φίλους έχεις;
   α. Πόσες   β. Πόσο   γ. Πόσους

6. Υπάρχει μόνο ____ κανέλα στο βάζο.
   α. λίγη   β. λίγοι   γ. λίγα

7. ____ καφέ θέλετε να βάλω;
   α. Πόσος   β. Πόσα   γ. Πόσο

8. Θα ήθελες να έχεις ____ λεφτά;
   α. πολύ   β. πολλά   γ. πολλή

9. Δεν ήταν ____ κόσμος. Μόνο μερικοί φίλοι.
   α. πολύς   β. πολύ   γ. πολλοί

10. Ξέρεις ____ μελιτζάνες χρειαζόμαστε;
    α. πόσους   β. πόσες   γ. πόση

3 Αντικαταστήστε τις υπογραμμισμένες λέξεις με τις σωστές αντωνυμίες και ξαναγράψτε τις προτάσεις.

1. Βγάλε <u>τα παπούτσια σου</u> έξω απ' το δωμάτιό μας, σε παρακαλώ.

   Βγάλ' τα

2. Δώσε <u>στη θεία σου</u> εκατό ευρώ αύριο.

3. Άφησε <u>τις εφημερίδες</u> πάνω στο γραφείο μου, σε παρακαλώ.

4. Διάβασε <u>το βιβλίο που σου έδωσα</u>. Είμαι βέβαιος πως θα σου αρέσει πολύ.

5. Βάλε <u>στον αδελφό σου</u> ακόμα λίγη τυρόπιτα. Πεινάει πολύ.

6. Ξύπνησε <u>τους φοιτητές</u> τώρα! Πρέπει να πάνε για πρωινό.

7. Γράψε <u>για μας</u> κάτι για το ταξίδι που έκανες πέρσι το καλοκαίρι.

8. Βρες <u>για την αδελφή σου</u> το άρθρο που θέλει να διαβάσει.

9. Άνοιξε <u>την εφημερίδα</u> στην τρίτη σελίδα και διάβασε <u>σε μένα</u> τι λέει κάτω από τη φωτογραφία.

10. Πάρε <u>το κλειδί</u> και περίμενε <u>εμένα</u> στο αυτοκίνητο. Έρχομαι αμέσως.

11. Δες <u>τον πατέρα</u> απόψε και πες <u>σ' αυτόν</u> ότι θέλουμε να μιλήσουμε <u>σ' αυτόν</u>.

4 Βάλτε "να τος", "να τη" κτλ.

1. «Μήπως είδες το πορτοφόλι μου;» « __*Να το*__ . Εκεί είναι.»

2. «Πού είναι ο μπαμπάς μου κι η μαμά μου;» « _____ , απέναντι. Τους βλέπεις;»

3. «Πήρες τα κλειδιά μου απ' τον Γιώργο;» « _____ , είναι πάνω στο τραπέζι.»

4. «Πού βάλαμε τις φωτογραφίες;» « _____ . Τις άφησες πάνω στον καναπέ.»

5. «Μήπως αγόρασες εφημερίδα;» «Ναι. _____ .»

6. «Βλέπεις πουθενά τις παντόφλες μου;» « _____ , κάτω απ' το γραφείο σου.»

7. «Πού είναι ο κύριος Λιβανός;» « _____ . Στέκεται δίπλα στο μπαρ.»

5 Βάλτε (') όπου χρειάζεται.

Πλενετε τις μελιτζανες και τις ψηνετε στον φουρνο μεχρι να μαλακωσουν (μια ωρα περιπου).

Βγαζετε το φλουδι τους και τις χτυπατε στο μπλεντερ με τον χυμο του λεμονιου και το λαδι. (Αν δεν εχετε μπλεντερ, χρησιμοποιειτε ενα πιρουνι.)

Προσθετετε το κρεμμυδι, το σκορδο, το αλατι, το πιπερι και τη μαγιονεζα. Ανακατευετε καλα. Κοβετε την ντοματα σε μικρες φετες.

Γαρνιρετε με την ντοματα, τον μαϊντανο και τις ελιες.

6 Βάλτε τα γράμματα που λείπουν.

Η Κνωσός ήταν το κέντρο ενός αρχ_*αί*_ου πολιτ____σμού της Κρήτ____ς από το 2.600 έως το 1.100 π.Χ. Ο Άγγλος αρχαι____λόγος Έβανς, που έκανε τις πρ____τες ανασκαφές εκεί, τον ____νόμασε μιν____ικό από το όνομα ή τον τίτλο του βασ____λιά, που ήταν Μίνως. Οι πρώτ____ κάτοικ____ φαίνετ____ ότι ήρθαν από τη Μικρά Ασία και ίσ____ς από τη Λιβύη. Το ανάκτ____ρο του βασ____λιά ήταν πολύ μεγάλο, με 1.500 περίπου δ____μάτια και πολλούς διαδρόμους. Δεν ήταν μόνο η κατ____κία του, ήταν επίσ____ς θρησκευτικό και ____κονομικό κέντρο. Οι κάτοικ____ είχαν τα σπίτια τους γύρ____ από το ανάκτορο.

7 Γράψτε τι σημαίνουν οι παρακάτω λέξεις.

1. αρχαίος _____*πολύ παλιός*_____
2. π.Χ. _____
3. ονομάζω _____
4. ο φοιτητής _____
5. η κατοικία _____
6. το εξάμηνο _____
7. βρίσκομαι _____
8. τα ψώνια _____
9. σημειώνω _____
10. το ψυγείο _____

8 Βάλτε τη σωστή λέξη στον σωστό τύπο.

ο πολιτισμός - η ανασκαφή - το ανάκτορο - ο κάτοικος - ο τοίχος - εντυπωσιακός - χρειάζομαι - το ντουλάπι - κόβω - χρησιμοποιώ

1. Στο μπαλκόνι μας έχουμε ένα ___*ντουλάπι*___ για τα παπούτσια.

2. Ο αρχαιολόγος Μανόλης Ανδρόνικος έκανε πολλές _____ στη Μακεδονία.

3. Η Ελλάδα έχει περίπου έντεκα εκατομμύρια _____ .

4. Για να φτιάξεις ομελέτα, _____ αβγά.

5. Το _____ του Μπάκιγκχαμ είναι στο κέντρο του Λονδίνου.

6. Εμείς ποτέ δεν _____ βούτυρο στην κουζίνα. Μαγειρεύουμε πάντα με λάδι.

7. Η Θάλεια φορούσε ένα _____ φόρεμα χθες στο πάρτι.

8. Όλοι οι _____ του σπιτιού ήταν γεμάτοι με φωτογραφίες της οικογένειας.

9. Η Αίγυπτος είναι μία χώρα με _____ αιώνων.

10. Εγώ θα _____ το κρέας. Εσύ ετοίμασε τη σαλάτα.

1 Κλίνετε τα παρακάτω ρήματα στον παρατατικό.

Παρατατικός	Παρατατικός	Παρατατικός	Παρατατικός
πήγαινα	*έβλεπα*	*ξυπνούσα*	*οδηγούσα*

2 Γράψτε τον παρατατικό.

Ενεστώτας	Παρατατικός		Ενεστώτας	Παρατατικός
1. βλέπει	*έβλεπε*	6.	πηγαίνεις	
2. μιλάμε		7.	ετοιμάζουμε	
3. διαβάζετε		8.	ζείτε	
4. προσπαθώ		9.	ακούει	
5. λένε		10.	γράφεις	

3 Βάλτε τα ρήματα στον παρατατικό.

1. Όταν οι γονείς μου ήταν στην Ελλάδα, ___*μιλούσαν*___ σχεδόν πάντα ελληνικά. (μιλάω)

2. Νομίζω ότι εσύ πέρσι _____ στο σπίτι τους πιο συχνά, Μιχάλη. (πηγαίνω)

3. Τι έκανες τόση ώρα στο μπάνιο, ρε Δημήτρη; _____ ; (διαβάζω)

4. Επειδή σήμερα έχει καλεσμένους, η Νίκη _____ χθες όλη τη μέρα. (μαγειρεύω)

5. Άργησα, γιατί _____ τουλάχιστον μια ώρα να βρω ταξί. (προσπαθώ)

6. Οι άνθρωποι _____ πιο λίγο πριν από διακόσια χρόνια. (ζω)

7. Εγώ σε _____ τηλέφωνο όλο το πρωί. Πού ήσουνα; (παίρνω)

8. Όταν ήμασταν φοιτητές δεν _____ ποτέ αρκετά λεφτά. (έχω)

4 Βάλτε τα ρήματα στον αόριστο ή στον παρατατικό, ανάλογα.

1. Προχτές η γυναίκα μου _____*είδε*_____ τη θεία σου στο σινεμά. (βλέπω)

2. Όταν ήμουνα στην Ελλάδα, _____ πολύ συχνά έξω. (τρώω)

3. Εμείς τον χειμώνα _____ στο κολυμβητήριο σχεδόν κάθε μέρα. (πάω)

4. Ελένη, από πού _____ αυτή τη ζακέτα; (αγοράζω)

5. Εγώ πέρσι _____ ποδόσφαιρο δύο φορές την εβδομάδα. (παίζω)

6. Την περασμένη Τρίτη _____ ο ξάδελφός μου από τη Βραζιλία. (γυρίζω)

7. Το καλοκαίρι οι γονείς μου _____ και το Σάββατο. (δουλεύω)

8. Εσείς πέρσι _____ να έρθετε στη γιορτή μου. (ξεχνάω)

9. Εμείς όταν ήμασταν μικροί _____ μόνο ελληνική μουσική. (ακούω)

10. Γιατί _____ το αυτοκίνητό σου, Άρη; Ήταν καινούργιο ακόμα. (πουλάω)

5 Χρησιμοποιήστε εκφράσεις όπως: "όταν ήμουνα μικρός/ή", "πέρσι συνήθως/ συχνά", "όταν πήγαινα στο σχολείο" κ.ά. και κάντε προτάσεις με τα ρήματα που είναι στο πλαίσιο στον παρατατικό.

λέω - διαβάζω - γράφω - φτιάχνω - χρησιμοποιώ - ακούω - αργώ

1. _____

2. _____

3. _____

4. _____

5. _____

6. _____

7. _____

6 **Βάλτε τα ουσιαστικά και τα επίθετα στον σωστό τύπο.**

	Ενικός	Πληθυντικός
1. **Ονομαστική**	η μεγάλη τάξη	_οι μεγάλες τάξεις_
Αιτιατική	_____	_____
2. **Ονομαστική**	η ακριβή τηλεόραση	_____
Γενική	_____	_____
3. **Ονομαστική**	η καλή θέση	_____
Αιτιατική	_____	_____
4. **Ονομαστική**	η όμορφη πόλη	_____
Γενική	_____	_____
5. **Ονομαστική**	η έξυπνη απάντηση	_____
Αιτιατική	_____	_____

7 **Βάλτε τα ουσιαστικά που είναι στην παρένθεση στον πληθυντικό.**

1. Στο διαμέρισμά μας έχουμε δύο μεγάλες ___*βιβλιοθήκες*___ . (η βιβλιοθήκη)

2. Οι τιμές των γιαπωνέζικων _____ είναι πολύ καλές. (η τηλεόραση)

3. Αυτές οι δύο _____ έχουν περίπου τον ίδιο πληθυσμό. (η πόλη)

4. Σ' αυτή την πόλη υπάρχουν τρεις _____ . (η πινακοθήκη)

5. Το Μουσείο είναι τέσσερις _____ από 'δώ. (η στάση)

6. Πόσες μεγάλες _____ έχουμε στην Ελλάδα; (η γιορτή)

7. Πέρασα όλες τις _____ του λυκείου με πολύ καλούς βαθμούς. (η τάξη)

8. Τους κωδικούς αυτών των _____ θα τους βρείτε στον κατάλογο. (η διεύθυνση)

9. Ο φίλος μου ο Ορέστης έχει τρεις _____ ! (η μηχανή)

10. Και οι δύο _____ του Μιχάλη ζούνε στη Βαρκελώνη. (η αδελφή)

11. Οι _____ σας πρέπει να είναι στα ελληνικά. (η απάντηση)

12. Οι _____ της είναι καλές αλλά δε μ' αρέσει ο τρόπος που γράφει. (η σκέψη)

8 Γράψτε τι σημαίνουν οι παρακάτω λέξεις.

1. ο αιώνας ___*εκατό χρόνια*___

2. η πληροφορική _____

3. προηγούμενος _____

4. διαφορετικός _____

5. διαρκεί _____

6. αλλάζω _____

7. η φυσιογνωμία _____

8. υπέροχα _____

9. κατευθείαν _____

10. το λύκειο _____

9 Βάλτε τη σωστή λέξη στον σωστό τύπο.

> το ενδιαφέρον - το μυθιστόρημα - τουλάχιστον - η εποχή - μεγαλώνω - υποχρεωτικός - το σύστημα - η δυνατότητα - προτείνω - ο γάμος

1. Την ___*εποχή*___ που τη γνώρισα ήταν ακόμα μαθήτρια στο σχολείο.

2. Ο "Ζορμπάς" του Καζαντζάκη είναι ένα από τα πιο καλά _____ που διάβασα ποτέ.

3. Ήξερε ξένες γλώσσες, και αυτό της έδωσε τη _____ να βρει μια καλή δουλειά.

4. Στην Ελλάδα δεν είναι _____ να πας στο λύκειο.

5. Μου _____ να δουλέψω μαζί της αλλά εγώ προτίμησα να συνεχίσω τις σπουδές μου.

6. Δεν καταλαβαίνω πού αρχίζει και πού τελειώνει το _____ σου για τα παιδιά σου.

7. Ο Γιαννάκης μας _____ και δε χρειάζεται πια βοήθεια για να πλυθεί.

8. Αυτός ο _____ δεν πρέπει να γίνει ποτέ. Θα είναι μεγάλο λάθος.

9. Δεν έχει καθόλου _____ στη δουλειά του, όμως τα πάει μια χαρά.

10. Πρέπει να είναι _____ πενήντα πέντε χρονών, αλλά δείχνει πολύ πιο νέα.

Όνομα   : _____

Ημερομηνία : _____

Βαθμολογία : ____

100

---

1 Διαλέξτε το σωστό. (4 βαθμοί)   /4

1. __α__ μαθητές έχουν υπολογιστή;
    α. Πόσοι   β. Πόση   γ. Πόσες   δ. Πόσα

2. Σήμερα θα φάμε ψάρι και ____ σαλάτα. Εντάξει;
    α. λίγα   β. λίγη   γ. λίγοι   δ. λίγο

3. ____ τραπέζια θέλετε;
    α. Πόσο   β. Πόσοι   γ. Πόσες   δ. Πόσα

4. ____ άνθρωποι προτιμάνε το κρύο από τη ζέστη.
    α. Μερικά   β. Μερικούς   γ. Μερικοί   δ. Μερικές

5. Ευτυχώς υπάρχει ____ καφές ακόμα στο κουτί.
    α. αρκετός   β. αρκετό   γ. αρκετές   δ. αρκετά

6. Υπάρχουν ____ ξένες που είναι παντρεμένες με Έλληνες.
    α. πολλά   β. πολλοί   γ. πολλούς   δ. πολλές

7. ____ ζάχαρη θέλετε στο τσάι σας;
    α. Πόσοι   β. Πόση   γ. Πόσα   δ. Πόσο

8. Χρειαζόμαστε ____ φέτα για την τυρόπιτα;
    α. πολλοί   β. πολύ   γ. πολλή   δ. πολλά

9. Θέλεις να δεις ____ παλιούς πίνακες που έχω στο υπόγειο;
    α. μερικούς   β. μερικές   γ. μερικά   δ. μερικοί

2 Γράψτε το σωστό. (15 βαθμοί)   /15

1. Α: Αυτό το βιβλίο είναι ___*δικό*___ σου;

    Β: Όχι, δεν είναι _____ . Είναι _____ . (η Ελένη)

2. Α: Αυτές οι ομπρέλες είναι _____ τους;

    Β: Όχι, δεν είναι _____ . Είναι _____ . (τα παιδιά)

3. Α: Αυτά τα γυαλιά είναι _____ της;

    Β: Όχι, δεν είναι _____ . Είναι _____ . (η κυρία Θάνου)

4. Α: Αυτοί οι υπολογιστές είναι _____ σας;

    Β: Όχι, δεν είναι _____ . Είναι _____ . (οι φοιτητές)

5. Α: Αυτός ο καφές είναι _____ μου;

    Β: Όχι, δεν είναι _____ . Είναι _____ . (ο Γιάννης)

6. Α: Αυτές οι φράουλες είναι _____ σας;

    Β: Όχι, δεν είναι _____ . Είναι _____ δίπλα. (οι κυρίες)

7. Α: Αυτό το κλειδί είναι _____ μας;

    Β: Όχι, δεν είναι _____ . Είναι _____ . (ο κύριος Λίνας)

3 Γράψτε το σωστό. (5 βαθμοί)   /5

1. Η μητέρα μου είναι ___*κόρη*___ της μητέρας της.

2. Ο πατέρας μου είναι _____ της μητέρας της γυναίκας του.

3. Ο αδελφός μου είναι _____ της γιαγιάς μας.

4. Τα παιδιά της θείας μου είναι _____ μου.

5. Η κόρη της θείας μου είναι _____ της μητέρας μου.

6. Ο πατέρας του πατέρα μου είναι _____ μου.

4 **Χρησιμοποιήστε τον αδύνατο τύπο της προσωπικής αντωνυμίας.** /6

1. Αγοράστε αυτά τα βιβλία <u>για τον Πέτρο</u>.

   Αγοράστε του αυτά τα βιβλία.

2. Πήρες <u>τη Μαρία</u> τηλέφωνο σήμερα το πρωί;

   _____

3. Γιατί δε δώσατε <u>στον Γιώργο και στη Μαρία</u> τα λεφτά;

   _____

4. Ρώτησε <u>τους φίλους σου</u>, σε παρακαλώ, τι ώρα θέλουν να ξυπνήσουν αύριο.

   _____

5. Σκέφτεστε να αγοράσετε αυτό το παλτό <u>στη γυναίκα σας</u>;

   _____

6. Πείτε <u>στα παιδιά</u> ότι πρέπει να έρθουν πιο νωρίς απόψε.

   _____

7. Τι ώρα είπε η κυρία Αλαμανή <u>σε σένα</u> να πας στο γραφείο της;

   _____

5 **Βάλτε τα ρήματα στην προστακτική. (8 βαθμοί)** /8

1. Γιώργο, _**πάρε**_ μερικά φρούτα μαζί σου. Μπορεί να πεινάσεις. (παίρνω)

2. _____ και αυτή τη μηχανή, κύριε. Νομίζω ότι θα σας αρέσει πολύ. (κοιτάζω)

3. _____ τον κύριο για τα εισιτήρια, Ελένη. (πληρώνω)

4. _____ , κορίτσια, να πιούμε τον καφέ μας. (έρχομαι)

5. Στέφανε, _____ στο γραφείο του διευθυντή. Σε περιμένει. (πηγαίνω)

6. _____ αμέσως, σας παρακαλώ. Δεν θέλω ν' ακούσω τίποτε άλλο. (φεύγω)

7. Παιδιά, _____ τους άλλους να γράψουν τις ασκήσεις τους. (αφήνω)

8. Ελένη, _____ αυτά τα γράμματα στη γραμματέα, σε παρακαλώ. (δίνω)

9. _____ , σε παρακαλώ, το τυρί και το κοτόπουλο στο ψυγείο. (βάζω)

6 Βάλτε τα ρήματα στον αόριστο ή τον παρατατικό ανάλογα. /11

1. Εμείς την Παρασκευή ___*στείλαμε*___ ένα δέμα με βιβλία στη Γερμανία. (στέλνω)

2. _____ το πορτοφόλι σου, Μαρία μου; (βρίσκω)

3. Πριν από εκατό χρόνια οι άνθρωποι _____ πιο πολύ τα πόδια τους. (χρησιμοποιώ)

4. Ο παππούς μου _____ για την Αυστραλία το 1962. (φεύγω)

5. Ο Κώστας κι ο Μιχάλης _____ μπάσκετ συχνά, όταν ήταν στο λύκειο. (παίζω)

6. Αλήθεια, εσείς γιατί δε _____ το Σάββατο το βράδυ; (βγαίνω)

7. Εγώ δεν _____ καθόλου ελληνικά, όταν παντρεύτηκα τον Άρη. (καταλαβαίνω)

8. Παιδιά, _____ τίποτε σήμερα το μεσημέρι; (τρώω)

9. Όταν ήσουνα στην Κρήτη, πόσο συχνά _____ στην Αθήνα; (ανεβαίνω)

10. Αυτές _____ τα λεφτά από το ταμείο την περασμένη Πέμπτη. (παίρνω)

11. Ποιος _____ την μπίρα μου; (πίνω)

12. Πέρσι _____ πιο αργά, γιατί δε δούλευα. (ξυπνάω)

7 Βάλτε τα ρήματα στον σωστό τύπο. /9

1. Εμείς ___*σηκωνόμαστε*___ πάντα στις εφτά το πρωί. (σηκώνομαι)

2. Θα _____ και θα σε περιμένω στο αυτοκίνητο. (ετοιμάζομαι)

3. Ξέρεις πόσες ώρες _____ όταν ήμουνα παιδί; (κοιμάμαι)

4. Παιδιά, θέλετε να _____ τώρα; (πλένομαι)

5. Και αυτή και ο άντρας της _____ πάντα πολύ ωραία. (ντύνομαι)

6. Δεν μπορεί να μαγειρέψει τώρα. Θέλει να _____ λίγο. (ξεκουράζομαι)

7. Η γυναίκα μου θα _____ πολύ, αν δεν έρθετε απόψε. (λυπάμαι)

8. Ο γιος μου είναι δεκατριών χρονών και _____ ! (ξυρίζομαι)

9. Εγώ _____ όταν την είδα έτσι, και πήρα τηλέφωνο τη μητέρα της. (φοβάμαι)

10. Οι κόρες σου είναι στο μπάνιο και αυτή τη στιγμή _____ . (χτενίζομαι)

8 Βάλτε τα ουσιαστικά στον σωστό τύπο. /6

1. Μπορείτε να γράψετε μια πρόταση με τριάντα ___*λέξεις*___ ; (η λέξη)
2. Η μητέρα μου έχει πέντε _____ κι ο πατέρας μου έξι! (η αδελφή)
3. Την περασμένη εβδομάδα έδωσα τρεις _____ στην τηλεόραση. (η συνέντευξη)
4. Και οι τρεις _____ τους σπουδάζουν στο ίδιο πανεπιστήμιο. (η κόρη)
5. Αυτό το τραπεζάκι της _____ είναι πολύ μικρό. Θέλουμε πιο μεγάλο. (η τηλεόραση)
6. Το μαγαζί μας είναι στο κέντρο της _____ . (η πόλη)
7. Πόσες μεγάλες _____ έχετε στη χώρα σας; (η γιορτή)

9 Βάλτε τον σωστό τύπο της προσωπικής αντωνυμίας. /6

1. Αυτά τα γλυκά είναι για ___*σένα*___ . (εσύ)
2. Πρώτα θα δει _____ και μετά τους άλλους. (εμείς)
3. Διακοπές μ' _____ ; Ποτέ! (αυτοί)
4. _____ σας σκέφτεται πάντα. (εσείς)
5. Το CD είναι γι' _____ κι η τσάντα για σένα. (αυτός)
6. _____ τις ξέρω από το λύκειο. Ήταν πάντα καλές μαθήτριες. (αυτές)
7. Είσαι σίγουρος πως θέλει να μιλήσει σε _____ ; (εγώ)

10 Βάλτε τα ουσιαστικά και τα επίθετα στη γενική. /6

1. Η γλώσσα ___*των αρχαίων Ελλήνων*___ ήταν τα αρχαία ελληνικά. (οι αρχαίοι Έλληνες)
2. Η τοιχογραφία _____ στην Κνωσό είναι υπέροχη. (ο κόκκινος ταύρος)
3. Διάβασα ένα καλό βιβλίο για τη ζωή _____ στίβου. (οι μεγάλοι αθλητές)
4. Βρίσκω την ορθογραφία _____ αρκετά δύσκολη . (οι ελληνικές λέξεις)
5. Οι πόρτες _____ στην Καστοριά ήταν όλες από ξύλο. (τα παλιά αρχοντικά)
6. Το βιβλίο είναι _____ από την Ουκρανία. (η ξανθιά μαθήτρια)
7. Το φαγητό στο εστιατόριο _____ ήταν ακριβό. (ο παραδοσιακός ξενώνας)

11 Βάλτε τη σωστή λέξη στον σωστό τύπο. **/10**

αισθάνομαι - η στάση - στρώνω - μαλώνω - τα φανάρια - η συνταγή - η γιορτή - το πλυντήριο - ο ξενώνας - το δελφίνι - προτείνω

1. Με συγχωρείτε, πού κάνει ___*στάση*___ το λεωφορείο για Κηφισιά;

2. Ο λογαριασμός είναι δικός μου. Σήμερα έχω τη _____ μου και κερνάω εγώ.

3. Δίπλα στο πλοίο για την Πάρο κολυμπούσαν για πολλή ώρα τρία _____ .

4. Θα σας φτιάξω χορτόπιτα Ηπείρου από μία _____ που μου έδωσε η θεία μου.

5. Στην Ελλάδα υπάρχουν πολλοί όμορφοι παραδοσιακοί _____ .

6. Δεν ξέρω τι να της πω, αλήθεια. Εσύ τι _____ ;

7. Μη _____ με τον αδελφό σου συνέχεια!

8. Μ' αυτή τη ζέστη δεν _____ καθόλου καλά σήμερα.

9. _____ πρώτα το κρεβάτι σου και μετά μπορείς να πας να παίξεις.

10. Θα περάσεις τα πρώτα _____ και αμέσως μετά θα στρίψεις αριστερά.

11. Οι γονείς της τους αγόρασαν ένα _____ για τον γάμο τους.

12 Διαβάστε το κείμενο και απαντήστε στις ερωτήσεις. **/14**

Τον Σεπτέμβριο ο Βασίλης και η Αλεξάνδρα Αναγνωστάκη πήγανε για μια εβδομάδα στη Μύκονο. Συνήθως πάνε για διακοπές στην Κρήτη, όπου ζουν οι γονείς του Βασίλη, αλλά εφέτος ήθελαν να αλλάξουν εικόνα. Οι πιο πολλοί Έλληνες κάνουν τις διακοπές τους τον Ιούλιο ή τον Αύγουστο, αλλά ο Βασίλης και η Αλεξάνδρα προτίμησαν να πάνε τον Σεπτέμβριο, γιατί τους δύο προηγούμενους μήνες έχει πάρα πολύ κόσμο, και πολύ δύσκολα βρίσκει κανείς δωμάτιο να μείνει. Η Μύκονος βρίσκεται στις Κυκλάδες, μια ομάδα νησιών του Αιγαίου. Το νησί δεν έχει πολύ πράσινο, είναι όμως πολύ γραφικό. Έχει μικρά άσπρα σπίτια, παλιούς μύλους, ωραίες παραλίες, και στο κέντρο πολλά εστιατόρια και μπαράκια, όπου μπορεί κανείς να διασκεδάσει μέχρι το πρωί. Γι' αυτό και το επισκέπτονται πολλοί τουρίστες κάθε χρόνο, Έλληνες και ξένοι. Την τρίτη μέρα των διακοπών τους πήγαν εκδρομή στη Δήλο, ένα νησάκι κοντά στη Μύκονο, μόλις εφτά τετραγωνικά χιλιόμετρα σε έκταση, χωρίς νερό και χωρίς δέντρα, με πολύ λίγους κατοίκους μόνο, πολύ γνωστό όμως για τα αρχαία του μνημεία. Στο νησί αυτό, όπως λέει η μυθολογία, η Λητώ γέννησε από τον Δία, τον πατέρα των θεών και των ανθρώπων, δύο παιδιά: τον Απόλλωνα και την Άρτεμη, που έγιναν και αυτά θεοί. Ο Βασίλης και η Αλεξάνδρα είδαν τους ναούς, το θέατρο και τα μοναδικά μωσαϊκά που υπάρχουν εκεί. Η εβδομάδα πέρασε πολύ γρήγορα και, όταν γύρισαν, συμφώνησαν να πάνε στη Μύκονο πάλι του χρόνου, γιατί τους άρεσε πολύ.

1. Γιατί ο Βασίλης και η Αλεξάνδρα πάνε συνήθως διακοπές στην Κρήτη; (2)

_____

_____

2. Πότε πηγαίνουν συνήθως διακοπές οι Έλληνες; (1)

_____

3. Γιατί φέτος ο Βασίλης και η Αλεξάνδρα πήγαν διακοπές στη Μύκονο; (1)

_____

4. Πού βρίσκεται η Μύκονος; (1)

_____

5. Τι είναι οι Κυκλάδες; (1)

_____

6. Γιατί πολλοί τουρίστες επισκέπτονται τη Μύκονο; (2)

_____

_____

7. Τι υπάρχει στη Δήλο; (2)

_____

_____

8. Ποιος ήταν ο Δίας; (1)

_____

_____

9. Τίνος παιδιά ήταν ο Απόλλωνας και η Άρτεμη; (2)

_____

10. Πού θα πάνε μάλλον για διακοπές του χρόνου ο Βασίλης και η Αλεξάνδρα; (1)

_____

_____

Μάθημα 1

2

1. Α: Τίνος είναι αυτά τα κλειδιά; Β: Είναι της Μαρίας.
2. Α: Τίνος είναι αυτός ο καφές; Β: Είναι του Δημήτρη.
3. Α: Τίνος είναι αυτές οι μπότες; Β: Είναι της κυρίας Χατζάκη.
4. Α: Τίνος είναι αυτοί οι χαρτοφύλακες; Β: Είναι του κυρίου Καζάκου.
5. Α: Τίνος είναι αυτή η μπίρα; Β: Είναι της Μάρως.
6. Α: Τίνος είναι αυτό το βιβλίο; Β: Είναι του παιδιού.

3

1. τον Παύλο   2. η Σοφία   3. του Σωκράτη   4. της Αθήνας   5. Ο άντρας μου
6. την καθηγήτρια   7. τον διευθυντή   8. του Ηλία   9. τη Φωτεινή   10. η βιβλιοθήκη

4

1. δικό   2. δικές   3. δική ή δικιά   4. δικό   5. Δικός, δικός   6. δικοί   7. Δικά   8. δική ή δικιά

6

1. Αυτοί οι δύο αναπτήρες είναι δικοί μου.   2. Το πρόβλημα είναι δικό σου και όχι δικό μου.
3. Δικά σας είναι τα παπούτσια;   4. Άσε την εφημερίδα στο τραπέζι, σε παρακαλώ. Είναι δική (δικιά) μου.
5. Τελικά, δεν ήταν δικό της το παιδί;   6. Όταν έγινε γυναίκα μου, πήρε το δικό μου όνομα.

7

1. ανίψια   2. οικογένειά   3. κλειδιά   4. συρτάρια   5. παππούς   6. μπότες   7. δικοί
8. Ποιανής   9. άρωμα   10. θείου

Μάθημα 2

2

1. ξέχασα   2. περιμέναμε   3. ήπιες   4. μίλησαν ή μιλήσανε   5. φάγαμε   6. ήρθατε   7. έφυγα
8. βγήκαν(ε)   9. πήρες   10. είπαμε

3

Το Σάββατο ο καιρός ήταν πολύ ωραίος κι έτσι πήγαμε σε μια παραλία κοντά στο Σούνιο. Η θάλασσα ήταν ζεστή και κολυμπήσαμε αρκετές ώρες. Κατά τις τρεις φύγαμε και πήγαμε σε μια ταβέρνα εκεί κοντά. Φάγαμε ψάρια και σαλάτα και ήπιαμε κρασί από το βαρέλι. Γυρίσαμε στο σπίτι κατά τις έξι, γιατί είχε πολλή κίνηση. Κάναμε ένα ντους, είδαμε τηλεόραση, φάγαμε από ένα γιαούρτι και πήγαμε για ύπνο νωρίς, γιατί ήμασταν κουρασμένοι.

4

πήγα / ήθελα / Βρήκα / μπήκα / Είχε / Προτίμησα / ήταν / έκανε / Έδωσα / είχε / Ρώτησα / είχε / βγήκε / γύρισε / Πήρα / είπα / έφυγα

5

1. έφαγα   2. έρχεται   3. περάσαμε   4. γύρισαν   5. παίζει   6. Θα πληρώσω   7. Συναντήσατε
8. βγαίνουμε   9. θα πάρει   10. ήπιαν   11. Γέλασα   12. θα παρακαλέσει

6

1. δ   2. β   3. δ   4. γ   5. α   6. α

8

1. ταυτότητάς   2. συμπληρώσετε   3. κλειστό   4. σύνδεση, κατοικία   5. αλλού
6. Ξέχασα   7. πληροφορίες   8. μηνύματα   9. κάτι

9

Ο Μάριος είναι στον ΟΤΕ, γιατί θέλει να βάλει τηλέφωνο στο καινούργιο του διαμέρισμα.
Μάριος   Καλημέρα. Για μια νέα σύνδεση, παρακαλώ.
Υπάλληλος   Καθίστε. Πού μένετε;

Μάριος	Στην Κυψέλη, ε... Μυτιλήνης 27.
Υπάλληλος	Μπορώ να έχω την ταυτότητά σας;
Μάριος	Ορίστε.
Υπάλληλος	Για κατοικία ή για επαγγελματικό χώρο;
Μάριος	Για κατοικία.
Υπάλληλος	Ωραία. Θα συμπληρώσετε αυτή την αίτηση με το όνομά σας, τον αριθμό της ταυτότητάς σας, ΑΦΜ και όλα τα άλλα στοιχεία που σας ζητάμε για νέα σύνδεση.
Μάριος	Και μετά θα τη δώσω κάπου αλλού;
Υπάλληλος	Όχι, όχι, εδώ.

Μάθημα 3

1

1. Πόσους, πολλούς   2. Πόσοι, πολλοί   3. Πόσες, λίγες   4. Πόσα, αρκετά   5. Πόσες, πολλές
6. Πόσοι, Λίγοι   7. πόσα, πολλά   8. Πόσες, λίγες   9. Πόσους, αρκετούς

2

1. γράψε, γράψτε   2. περίμενε, περιμένετε   3. άνοιξε, ανοίξτε   4. κάθισε ή κάτσε, καθίστε
5. πιες, πιείτε ή πιέστε   6. έλα, ελάτε   7. φύγε, φύγετε   8. φάε, φάτε   9. πάρε, πάρτε
10. άφησε ή άσε, αφήστε ή άστε

3

1. έλα   2. φάε   3. Πιείτε ή Πιέστε   4. Μαγειρέψτε   5. Βρες   6. Παίξε   7. Μπείτε ή Μπέστε
8. Πήγαινε   9. οδήγησε   10. Φύγετε

4

1. Πόσες πολυθρόνες έχετε στο σαλόνι;   2. Έλα αμέσως στο γραφείο μου, Κώστα.
3. Τα βιβλία είναι πάνω στον καναπέ.   4. Το τραπεζάκι είναι κάτω από τον πίνακα.
5. Δυστυχώς δεν έχω κανέναν έλληνα φίλο.   6. Στο μπάνιο τους υπάρχουν τρεις καθρέφτες.
7. Καθίστε, παρακαλώ, κυρία Αναστασιάδη.   8. Στο γραφείο μας υπάρχουν πολλοί υπολογιστές.

5

1. πάνω στο   2. μπροστά από τον   3. Πάνω στον   4. ανάμεσα στον   5. πάνω στη
6. πάνω από τον   7. πίσω από τη   8. Πάνω στο   9. κάτω από το

7

1. Πίσω   2. διακοσμήτρια   3. έπιπλά   4. φυτά   5. τοίχου   6. μετακομίσουμε   7. φωτιστικό
8. διάλειμμα   9. μαξιλάρι(α)   10. υπέροχη

Μάθημα 4

1

- Είσαι ελεύθερος απόψε;
- Ναι, είμαι. Γιατί;
- Θέλεις να φάμε έξω;
- Δεν πεινάω. Προτιμώ να πάμε σε κανένα μπαράκι.
- Εντάξει. Σε ποιο λες να πάμε;
- Έχει ένα κοντά στο σπίτι της θείας μου. Το "Εννιά Μούσες".
- Α, ναι. Είναι πολύ ωραίο. Τι ώρα λες να συναντηθούμε;
- Έλα κατά τις δέκα στο σπίτι. Ακούμε λίγη μουσική και μετά φεύγουμε.
- Έγινε. Γεια.

2

1. γ   2. α   3. β   4. β   5. β   6. α   7. γ   8. β

4

«Συγνώμη, πώς μπορώ να πάω από εδώ στο θέατρο 'Άλφα';»

«Θα προχωρήσεις ευθεία, θα περάσεις τα πρώτα φανάρια, και στο ξενοδοχείο 'Ακρόπολις' θα στρίψεις δεξιά. Θα προχωρήσεις περίπου διακόσια μέτρα και θα στρίψεις αριστερά στην οδό Πλαστήρα. Το θέατρο είναι στο αριστερό σου χέρι, στα είκοσι μέτρα περίπου.»

«Ευχαριστώ.»

5

1. σας   2. του   3. σας   4. σου   5. της   6. τους   7. του

6

1. των αγοριών   2. των βιβλίων   3. των μαθημάτων   4. των ημερών   5. των δρόμων
6. των αντρών   7. των αυτοκινήτων   8. των προβλημάτων   9. των αδελφών
10. των θαλασσών   11. των παιδιών   12. των φοιτητών

7

«Η κόρη σας άφησε το κλειδί της και βγήκε», είπε ο υπάλληλος στη ρεσεψιόν. «Α, ναι. Υπάρχει κι ένα σημείωμα για σας, κυρία Πάπας, αλλά νομίζω ότι είναι από χτες. Ορίστε!» Η Φράνσις το διάβασε:

Μαμά, δεν το περίμενα από σένα. Μπράβο σου!
Πάω βόλτα με το σκάφος των φίλων μου.
Δεν ξέρω πότε θα γυρίσω.
Εύα»

«Τι λέει;» ρώτησε ο Τζον.

«Πάει μια βόλτα με το σκάφος των φίλων της.»

«Των φίλων της; Και ποιοι είναι αυτοί οι φίλοι της; Είσαι σίγουρη ότι δεν ξέρεις κανέναν απ' αυτούς;»

«Δε νομίζω. Πέρσι μόνο ήρθε μια φορά στο ξενοδοχείο μ' έναν νέο.»

«Ποιος ήταν;»

«Δε θυμάμαι τ' όνομά του.»

«Αχ, Φράνσις. Τι θα κάνω με σένα;»

8

1. ευθεία   2. στρίψω   3. ραντεβού   4. ελεύθεροι   5. φανάρια   6. συνεχίζεις   7. νέος
8. διάβαση   9. σκάφος   10. οδηγίες

Μάθημα 5

1

1. Θέλεις να του δώσω το τηλέφωνό σου;   2. Ποιος σας μίλησε για την αδελφή μου;
3. Μπορείτε να της τηλεφωνήσετε, σας παρακαλώ;
4. Θα μου πάρεις αυτό το δαχτυλίδι, αγάπη μου;
5. Θα τους παίξεις κάτι στο πιάνο;   6. Γιατί μας έδωσες τα εφτακόσια ευρώ;
7. Είσαι βέβαιος ότι θα σου βρει μια παλιά εικόνα;

2

1. Σου   2. μου   3. τον   4. Σε   5. Της   6. του   7. Την   8. με   9. σου

3

1. Η Αλεξία ήρθε στην Ελλάδα στις είκοσι δύο Ιουνίου του χίλια εννιακόσια ενενήντα εννιά.
2. Ο Φώτης πήγε στην Κρήτη στις δεκατέσσερις Σεπτεμβρίου του χίλια εννιακόσια ενενήντα οχτώ.
3. Τα παιδιά τους μπήκαν στο πανεπιστήμιο την πρώτη Οκτωβρίου του δύο χιλιάδες εφτά.
4. Νοικιάσαμε το καινούργιο μας διαμέρισμα στις είκοσι τρεις Μαρτίου του δύο χιλιάδες έντεκα.
5. Έφυγαν για την Αγγλία στις δεκαέξι Αυγούστου του δύο χιλιάδες οχτώ.
6. Ο πατέρας μου γύρισε από την Αργεντινή στις τριάντα μία Δεκεμβρίου του χίλια εννιακόσια ενενήντα εφτά.

4

1. εικοσάρικα   2. τάλιρα   3. πενηντάρικα   4. δεκάρικα   5. ευρώ

6

1. εκείνη την   2. Όλοι οι   3. αυτή την   4. Όλος ο   5. Εκείνα τα   6. όλη την   7. Αυτά τα   8. όλες τις

8

Το πρωί πήγα στον γιατρό. Του είπα ότι έχω ακόμα πρόβλημα και μου έδωσε μια νέα θεραπεία για την αλλεργία μου. Στις έντεκα συνάντησα τη Ρία και πήγαμε για καφέ στο Θησείο.
Ο καιρός ήταν θαυμάσιος και η θέα της Ακρόπολης μαγευτική.
Ο Μιχάλης μού έστειλε μήνυμα στο κινητό και μου ζήτησε συγνώμη. Επιτέλους!
Δεν του απάντησα ακόμα.
Γύρισα σπίτι κατά τις δύο. Έφαγα μια σαλατούλα. Διάβασα λίγο εφημερίδα.
Τον πήρα μισή ωρίτσα στο μπαλκόνι. Ξύπνησα με το τηλέφωνο. Ήταν η μαμά μου.
Μου είπε ότι είναι στην Αθήνα ο θείος μου ο Μπάμπης κι η θεία Ηρώ.
Θέλουν να με δουν. Της είπα ότι θα τους τηλεφωνήσω.

9

1. κέφι   2. ημερολόγιο   3. επιτέλους   4. χαλάσετε   5. θεραπεία   6. συναντήσω
7. διαλέξεις   8. πονηρή   9. γκρινιάζεις

Μάθημα 7

2

1. σηκώνεσαι   2. πλενόμαστε   3. ξεκουράζεται   4. φοβάμαι   5. χτενίζεστε   6. λυπούνται
7. ξυριζόμαστε   8. κοιμάσαι   9. ντύνονται   10. θυμάμαι

3

Ο Γιώργος το πρωί σηκώνεται στις εφτάμισι. Πάει στο μπάνιο, ξυρίζεται, πλένεται, χτενίζεται και μετά πάει στην κουζίνα για να ετοιμάσει το πρωινό του. Συνήθως τρώει δύο φρυγανιές με βούτυρο και μέλι, και πίνει ένα φλιτζάνι καφέ. Ύστερα πάει στο δωμάτιό του. Φτιάχνει το κρεβάτι του, ντύνεται, παίρνει τα πράγματά του και φεύγει για τη δουλειά του. Γυρίζει στο σπίτι κατά τις τρεισήμισι. Τρώει κάτι και μετά ξεκουράζεται καμιά ωρίτσα.

4

1. της μεγάλης μου αδελφής   2. του κυρίου Ράπτη   3. των καινούργιων καθηγητριών
4. του παλιού τους αυτοκινήτου   5. των μικρών αγοριών   6. του άλλου διαμερίσματος
7. του μεγάλου μου αδελφού   8. των άλλων καταστημάτων   9. του Αρχαιολογικού Μουσείου
10. των φτωχών ανθρώπων

5

1. Πόσο καιρό...   2. Πόση ώρα...   3. Πόση ώρα...   4. Πόσο καιρό...   5. Πόσο καιρό...
6. Πόση ώρα...

6

1. σηκώνομαι   2. ξυπνάω   3. νύχτα   4. αργά   5. ξεχνάω   6. έρχομαι   7. ξεκουράζομαι
8. ευτυχώς   9. φτωχός   10. κλειστό

10

1. θα στρώσω   2. σιδέρωσε   3. καλεσμένους   4. το αργότερο   5. σωστή   6. αθλητές
7. την εκπομπή   8. ντύθηκαν   9. ξεσκονίσεις

Μάθημα 8

2

1. θα/να σηκωθώ   2. θα/να κοιμηθεί   3. θα/να ξυριστούν   4. θα/να πλυθείτε
5. θα/να ετοιμαστείς   6. θα/να λυπηθούμε   7. θα/να χτενιστείς   8. θα/να φοβηθούν
9. θα/να αισθανθεί   10. θα/να ντυθούμε

3

Το τριήμερο του Αγίου Πνεύματος θα πάμε στο Λεωνίδιο, στην Πελοπόννησο, για να ξεκουραστούμε. Το Σάββατο το πρωί θα σηκωθούμε κατά τις εφτά. Πρέπει να φύγουμε νωρίς, γιατί μετά θα έχει κίνηση. Αν ξεκινήσουμε από το σπίτι μας στις οχτώ κι αν όλα πάνε καλά, κατά τις δώδεκα το μεσημεράκι θα είμαστε στο Λεωνίδιο. Θα καθί-σουμε στο ταβερνάκι στην Πλάκα δίπλα στη θάλασσα για κανένα ουζάκι, και μετά θα πάμε για μπάνιο. Το απόγευ-μα θα κοιμηθούμε, και το βραδάκι θα πάμε στον Κοσμά, ένα χωριό κοντά στο Λεωνίδιο, για φαγητό.

4

1. σηκωθεί   2. ντυθείς   3. κοιμηθούμε   4. ξυριστώ   5. αισθανθεί   6. θυμηθούν
7. λυπηθούμε   8. πλυθείς   9. γυμναστούν

5

1. ωραία   2. γρήγορα   3. εξαιρετικό   4. ευγενικά   5. ακριβώς   6. αργός, προσεκτικά
7. δεξιά, αριστερά   8. διαρκώς   9. καλό, καλά   10. πολλές, σπάνια

9

1. ξεκούραση   2. παραδοσιακό   3. γλεντήσουμε   4. ταλαιπωρία   5. διακοπές   6. σπεσιαλιτέ
7. επιστροφή   8. παρέα   9. πεζοπορία   10. κίνηση

Μάθημα 9

2

1. χτενίζεται / θα χτενιστεί / χτενίστηκε   2. λυπούνται / θα λυπηθούν / λυπήθηκαν
3. περνάω / θα περάσω / πέρασα   4. παρακαλούμε / θα παρακαλέσουμε / παρακαλέσαμε
5. παντρευόμαστε / θα παντρευτούμε / παντρευτήκαμε
6. θυμάστε / θα θυμηθείτε / θυμηθήκατε   7. αργεί / θα αργήσει / άργησε
8. ξέρουμε / θα ξέρουμε / ξέραμε   9. κρύβεσαι / θα κρυφτείς / κρύφτηκες
10. διψάμε / θα διψάσουμε / διψάσαμε   11. πλένεστε / θα πλυθείτε / πλυθήκατε
12. βρίσκουν / θα βρουν / βρήκαν   13. δίνει / θα δώσει / έδωσε

3

συμφωνήσαμε / ξεκουραστήκαμε / σηκωθήκαμε / ήπιαμε / ξυρίστηκε / ξυρίζομαι / πλυθήκαμε / ντυθήκαμε / ετοιμάστηκε / αργώ / ξεκινήσουμε / βρω / έψαξα / βρήκα / θυμήθηκα / ήταν / Τρέξαμε / πάρουμε / φτάσαμε / ήταν

6

Κυρία	Συγγνώμη, θέλω να πάω στο νοσοκομείο 'Γιώργος Γεννηματάς'. Μήπως ξέρετε σε ποια στάση πρέπει να κατέβω;
Κύριος	Θα κατεβείτε στην 'Εθνική Άμυνα'. Αυτή η γραμμή όμως δεν πηγαίνει εκεί. Θα κατεβείτε στο Σύνταγμα και από 'κεί θα πάρετε τη γραμμή που πηγαίνει προς 'Σταυρό'.
Κυρία	Θα πρέπει να πάρω καινούργιο εισιτήριο;
Κύριος	Όχι, θα κρατήσετε αυτό που έχετε. Όταν κατεβείτε από τον συρμό, θα ακολουθήσετε το τόξο που λέει 'Σταυρός'.
Κυρία	Σας ευχαριστώ πάρα πολύ. Δεν είμαι από την Αθήνα και δεν ξέρω καλά το μετρό.
Κύριος	Κανένα πρόβλημα.
Φωνή	Επόμενη στάση 'Συγγρού-Φιξ'.

7

1. αρχίζω   2. κοντά   3. δίνω   4. μέσα   5. απαντάω   6. έρχομαι   7. μετά   8. κλείνω
9. ανεβαίνω   10. μπροστά

8

1. εργάζεται   2. αποτέλεσμα   3. στροφή   4. καθυστέρηση   5. αεροδρόμιο   6. γήπεδο
7. οπωσδήποτε   8. τεράστια   9. Κατάφερες   10. ταινία

_____ Λύσεις

Μάθημα 10

2
1. γ   2. α   3. α   4. β   5. γ   6. α   7. γ   8. β   9. α   10. β

3
1. Βγάλ' τα...   2. Δώσ' της...   3. Άφησέ τες...   4. Διάβασέ το...   5. Βάλ' του...
6. Ξύπνησέ τους...   7. Γράψε μας...   8. Βρες της...   9. Άνοιξέ την... , διάβασέ μου...
10. Πάρ' το... , περίμενέ με   11. Δες τον... , πες του... , να του μιλήσουμε

4
1. Να το   2. Να τοι   3. Να τα   4. Να τες   5. Να τη   6. Να τες   7. Να τος

5
Πλένετε τις μελιτζάνες και τις ψήνετε στον φούρνο μέχρι να μαλακώσουν (μία ώρα περίπου).
Βγάζετε το φλούδι τους και τις χτυπάτε στο μπλέντερ με τον χυμό του λεμονιού
και το λάδι. (Αν δεν έχετε μπλέντερ, χρησιμοποιείτε ένα πιρούνι.)
Προσθέτετε το κρεμμύδι, το σκόρδο, το αλάτι, το πιπέρι και τη μαγιονέζα. Ανακατεύετε καλά.
Κόβετε την ντομάτα σε μικρές φέτες.
Γαρνίρετε με την ντομάτα, τον μαϊντανό και τις ελιές.

6
Η Κνωσός ήταν το κέντρο ενός αρχαίου πολιτισμού της Κρήτης από το 2.600 έως το 1.100 π.Χ. Ο Άγγλος
αρχαιολόγος Έβανς, που έκανε τις πρώτες ανασκαφές εκεί, τον ονόμασε μινωικό από το όνομα ή τον τίτλο
του βασιλιά, που ήταν Μίνως. Οι πρώτοι κάτοικοι φαίνεται ότι ήρθαν από τη Μικρά Ασία και ίσως και από τη
Λιβύη. Το ανάκτορο του βασιλιά ήταν πολύ μεγάλο, με 1.500 περίπου δωμάτια και πολλούς διαδρόμους. Δεν
ήταν μόνο η κατοικία του, ήταν επίσης θρησκευτικό και οικονομικό κέντρο. Οι κάτοικοι είχαν τα σπίτια τους
γύρω από το ανάκτορο.

8
1. ντουλάπι   2. ανασκαφές   3. κατοίκους   4. χρειάζεσαι   5. ανάκτορο   6. χρησιμοποιούμε
7. εντυπωσιακό   8. τοίχοι   9. πολιτισμό   10. κόψω

Μάθημα 11

2
1. έβλεπε   2. μιλούσαμε   3. διαβάζατε   4. προσπαθούσα   5. έλεγαν (λέγανε)   6. πήγαινες
7. ετοιμάζαμε   8. ζούσατε   9. άκουγες   10. έγραφες

3
1. μιλούσαν(ε)   2. πήγαινες   3. Διάβαζες   4. μαγείρευε   5. προσπαθούσα   6. ζούσαν(ε)
7. έπαιρνα   8. είχαμε

4
1. είδε   2. έτρωγα   3. πηγαίναμε   4. αγόρασες   5. έπαιζα   6. γύρισε   7. δούλευαν
8. ξεχάσατε   9. ακούγαμε   10. πούλησες

6
1. η μεγάλη τάξη / οι μεγάλες τάξεις - τη μεγάλη τάξη / τις μεγάλες τάξεις
2. η ακριβή τηλεόραση / οι ακριβές τηλεοράσεις - της ακριβής τηλεόρασης / των ακριβών τηλεοράσεων
3. η καλή θέση / οι καλές θέσεις - την καλή θέση / τις καλές θέσεις
4. η όμορφη πόλη / οι όμορφες πόλεις - της όμορφης πόλης / των όμορφων πόλεων
5. η έξυπνη απάντηση / οι έξυπνες απαντήσεις - την έξυπνη απάντηση / τις έξυπνες απαντήσεις

7
1. βιβλιοθήκες   2. τηλεοράσεων   3. πόλεις   4. πινακοθήκες   5. στάσεις   6. γιορτές
7. τάξεις   8. διευθύνσεων   9. μηχανές   10. αδελφές   11. απαντήσεις   12. σκέψεις

9

1. εποχή   2. μυθιστορήματα   3. δυνατότητα   4. υποχρεωτικό   5. πρότεινε   6. ενδιαφέρον
7. μεγάλωσε   8. γάμος   9. σύστημα   10. τουλάχιστον

Εξέταση Προόδου (Μαθήματα 1-12)

1

1. α   2. β   3. δ   4. γ   5. α   6. δ   7. β   8. γ   9. α

2

1. Α: δικό   Β: δικό μου, της Ελένης   2. Α: δικές   Β: δικές τους, των παιδιών
3. Α: δικά   Β: δικά της, της κυρίας Θάνου   4. Α: δικοί   Β: δικοί μου/μας, των φοιτητών
5. Α: δικός   Β: δικός σου/σας, του Γιάννη   6. Α: δικές   Β: δικές μας, των κυριών
7. Α: δικό   Β: δικό μας, του κυρίου Λίνα

3

1. κόρη   2. γαμπρός   3. εγγονός   4. ξαδέρφια   5. ανιψιά   6. παππούς

4

1. Αγοράστε του αυτά τα βιβλία.
2. Την πήρες τηλέφωνο σήμερα το πρωί;
3. Γιατί δεν τους δώσατε τα λεφτά;
4. Ρώτησέ τους, σε παρακαλώ, τι ώρα θέλουν να ξυπνήσουν αύριο.
5. Σκέφτεστε να της αγοράσετε αυτό το παλτό;
6. Πείτε τους ότι πρέπει να έρθουν πιο νωρίς απόψε.
7. Τι ώρα σου είπε η κυρία Αλαμανή να πας στο γραφείο της;

5

1. πάρε   2. Κοιτάξτε   3. Πλήρωσε   4. Ελάτε   5. πήγαινε   6. Φύγετε   7. αφήστε
8. δώσε   9. Βάλε

6

1. στείλαμε   2. Βρήκες   3. χρησιμοποιούσαν   4. έφυγε   5. έπαιζαν   6. βγήκατε
7. καταλάβαινα   8. φάγατε   9. ανέβαινες   10. πήραν   11. ήπιε   12. ξυπνούσα

7

1. σηκωνόμαστε   2. ετοιμαστώ   3. κοιμόμουν(α)   4. πλυθείτε   5. ντύνονται   6. ξεκουραστεί   7. λυπηθεί   8. ξυρίζεται   9. φοβήθηκα   10. χτενίζονται

8

1. λέξεις   2. αδελφές   3. συνεντεύξεις   4. κόρες   5. τηλεόρασης   6. πόλης   7. γιορτές

9

1. σένα   2. εμένα   3. αυτούς   4. Εσάς   5. αυτόν   6. Αυτές   7. μένα

10

1. των αρχαίων Ελλήνων   2. του κόκκινου ταύρου   3. των μεγάλων αθλητών
4. των ελληνικών λέξεων   5. των παλιών αρχοντικών   6. της ξανθιάς μαθήτριας
7. του παραδοσιακού ξενώνα

11

1. στάση   2. γιορτή   3. δελφίνια   4. συνταγή   5. ξενώνες   6. προτείνεις   7. μαλώνεις
8. αισθάνομαι   9. στρώσε   10. φανάρια   11. πλυντήριο